KU-336-227

MAMY
SYNA!

MAMY SYNA!

*Cudowny okres
od ciąży do dwóch lat*

PORADNIK

Stacie Bering, Adie Goldberg

Przedmowa: Michael Gurian

LIBER

Wydawnictwo K.E. LIBER
01-217 Warszawa, ul. Kolejowa 19/21
tel. (0-22) 862 38 22, tel./fax: (22) 862 38 24
www.keliber.com.pl

Tytuł oryginału: It's a Baby Boy. The Unique Wonder and
Special Nature of Your Son from Pregnancy to Two Years

Autorzy: The Gurian Institute, Stacie Bering, MD,
Adie Goldberg, ACSW, Med

Tłumaczenie: Marta Łuczak – Janas

Projekt okładki: Piotr Dz

Skład: „INTERGRAF"
Druk: „ABEDIK"
Wydano w Warszawie w

ISBN 978-83-60215-77-7

Spis treści

Przedmowa

Moje gratulacje! Macie przed sobą waszego synka!

Posiadanie syna zmieni wasze życia w cudowny sposób, jakiego nie potraficie sobie jeszcze wyobrazić. Wraz z małym synkiom w ramionach wasz dom, związek i codzienna egzystencja będzie kwitnąć jak nigdy przedtem. Posiadanie takiego dziecka to możliwość doświadczania niezmiernej radości i pokornego zachwytu nad cudami wszechświata.

Jak z każdym wielkim wydarzeniem w waszych życiach, jednakże, bycie rodzicem stawia wyzwania. Zanim urodził się wasz syn, ludzie uśmiechali się „Życie nie będzie już takie samo!" Teraz już wiecie, życie nigdy nie będzie takie samo... A trochę pomocy mogłoby się przydać!

Jeśli otrzymałaś bądź kupiłaś tę książkę, możesz się zastanawiać:

- ❑ Jak konkretnie opiekować się chłopcem?
- ❑ Czego ten młody człowiek potrzebuje?
- ❑ Jakie są przełomowe momenty w jego życiu?
- ❑ Jakie są dokładne przewidywania dla jego rozwoju?
- ❑ W jaki sposób jego potrzeby są takie same jak innych dzieci i jednocześnie wyjątkowe dla niego jako jednostki?

Każdy z nas w The Gurian Institute pragnie dostarczyć popartych naukowo i sprawdzonych w życiu odpowiedzi na pytania dręczące rodziców jak wychowywać dzieci. W książce tej znaj-

dziecie informacje, wiedzę, opowieści i fascynujące fakty naukowe na temat waszego rozwijającego się syna.

Dr Stacie Bering, lekarz położnik, która specjalizuje się w ko-
biecym zdrowiu i rozwoju dzieci, oraz Adie Goldberg, pracownik
socjalny w klinice, która specjalizuje się we wczesnej edukacji
dzieci, wybrały najlepszą nową literaturę (oraz najlepszą wiedzę)
dotyczącą wychowania chłopców, aby zaprezentować wam po-
niższą książkę. Zawarły w niej również swoje doświadczenia
z pacjentami. Wspólnie, dr Bering oraz pani Goldberg, mają
sześćdziesiąt lat doświadczenia w pomaganiu rodzinom z małymi
dziećmi.

Dzięki doświadczeniu i empatii, dr Bering i pani Goldberg są
certyfikowanymi konsultantami The Gurian Institute. Specjalizują
się pomagając rodzicom zrozumieć indywidualne potrzeby *chłopców* i *dziewczynek*. Chłopcy i dziewczynki są podobni, ale jednocześnie różni. Mam nadzieję, że czytając tę książkę zaintryguje
was jak cudownie różni i podobni są wasi synowie i córki.

Życzę przyjemnej lektury oraz szczęśliwego synka. Jeśli macie
możliwość, podzielcie się waszymi komentarzami na naszej stronie: www.thegurianinstitute.com. Chętnie dowiemy się, jak rozwija się wasze dziecko. Świat potrzebuje jego pasji i celu, a ja wiem,
że uczyni was dumnymi!

– Michael Gurian, prezes The Gurian Institute

Z pokolenia na pokolenie.
Dla Jeffry'a, Cassie i Zacka,
Emily, Maggie, Chloe i Robba
oraz
dla rodzin, które powierzyły nam swoje opowieści.

Podziękowania

Chłopcy najlepiej rozwijają się, kiedy mają wokół siebie więcej niż dwoje kochających rodziców. Rodziny kwitną dzięki wzajemnemu wsparciu. Podobnie rzecz ma się z pisaniem książek. Michael Gurian jest filarem profesjonalnego kręgu poniższej książki. Zeszłego lata zadzwonił telefon i był to Michael. Powiedział, że jest okazja. Kiedy Michael dzwoni i mówi, że jest okazja, oznacza to mnóstwo pracy. Pisanie tej książki i jej odpowiednika dla dziewczynek było taką okazją. Michael ma pasję, chce aby chłopcy, dziewczynki i ich rodzice mieli zapewnione wsparcie i informacje przed rozpoczęciem wspólnej rodzinnej podróży. Nie możemy zacząć bez podziękowania Michaelowi za rady, inspirację i wskazówki jakich nam udzielił. Jego hojność nie pozostanie niezauważona.

Jednakże sama wizja nie wystarczy do napisania książki. Alan Rinzler, nasz wydawca, oraz jego dział edytorski w osobach Carol Hartland, Nany Twumasi i Donny Cohn, wspomogli nas w naszym projekcie redaktorską ekspertyzą. Alan był bardziej niż cierpliwy mając do czynienia z parą niedoświadczonych autorek. Wiele nauczyłyśmy się pod jego nadzorem i możemy szczerze stwierdzić, że po zakończeniu projektu jesteśmy lepszymi pisarkami.

Ponad dwadzieścia lat temu zaczęłyśmy pracę w Woman-Health, klinice położniczej. Przychodziły do nas kobiety, aby podzielić się swoimi problemami, niepokojami, marzeniami o dzieciach. Udzielałyśmy im porad pomimo faktu, że same nie miałyśmy dzieci. Pięcioro dzieci później – jesteśmy mądrzejsze i pokorne. Chciałybyśmy szczególnie podziękować pacjentkom WomanHealth, które dzieliły się z nami swoimi doświadczeniami życiowymi. Zespół WomanHealth był dla nas bardzo cierpliwy podczas wielu przerw obiadowych. Ich dobry humor podtrzymywał nas, a ich opowieści zarazem bawiły i smuciły.

Pam Silverstein jest założycielem i lekarzem w WomanHeatlh. Jej mąż Steve, oraz ich dzieci, Shayna i Josh, dopełnili nasz rodzinny krąg wsparcia. Doceniamy ich mądrość, miłość i lojalność, jakie nam okazali podczas proces pisania.

Chciałybyśmy także podziękować naszym rodzinom, gdyż nauczyli nas więcej niż wszystkie lata naszej edukacji. Stacie dziękuje Jeffry'owi Finnerowi, bez którego nigdy nie zaznałaby radości macierzyństwa, oraz dwójce jej dzieci, Cassie i Zacharemu, którzy, nawet jako młodzi dorośli, nadal prowadzą ją przez trudne meandry bycia rodzicem.

Adie chciałaby podziękować Robbowi za jego wiedzę na temat komputerów, cierpliwość jaką okazał jej podczas pisania oraz za to, że sprawiał, że mogła się śmiać pod koniec dnia. Córkom, Emily oraz Maggie, które na odległość do znudzenia wysłuchiwały i komentowały pierwsze wersje książki, zadawały pytania i namawiały swoją matkę do myślenia, Adie przesyła matczyne podziękowania i wyrazy miłości. Szczególne podziękowania dla Chloe, która jako ostatnia z pozostałych w domu dzieci, musiała być najbardziej cierpliwa podczas pisania książki. Służyła nam jako bank pamięci, przypominając nam dawno zapomniane historie.

Dziękujemy również naszym czytelnikom. Nadal uczycie nas i przypominacie jak wiele jeszcze musimy się dowiedzieć.

– Stacie Bering, lekarz medycyny
– Adie Goldberg, pedagog, pracownik społeczny

MAMY
SYNA!

Wstęp:
Mamy syna!

Nasze gratulacje! Twój ojciec promienieje. „To chłopiec!" opowiada swoim kolegom w klubie seniora, gdzie przewodzi grupie świeżo upieczonych dziadków.

Wraz ze swoim mężem, Samem, macie już jedną zdrową córeczkę, urodzoną osiem lat temu. Aż do momentu narodzin byliście przekonani, że będziecie mieć Clarence'a, nie Clarę. Teraz, w wieku trzydziestu pięciu lat, będąc w kolejnej ciąży, dostajesz skierowanie na badania prenatalne w szesnastym tygodniu z powodu „zaawansowanego wieku matki" (nienawidzisz tego określenia). Lekarz wyjaśnia, że wszystkie matki powyżej trzydziestego piątego roku życia znajdują się w grupie podwyższonego ryzyka urodzenia dziecka z zespołem Downa lub z innymi rzadkimi komplikacjami na tle chromosomowym.

Lekarz pyta cię również czy chcesz poznać płeć dziecka. Chcesz, oczywiście, ale Sam nie chce znać wyniku badania. Jest całkowicie pewny, że będzie miał syna. Przypomina ci również jak ekscytujące było usłyszenie od położnej, że urodziła się Clara. Jednak twoja ciekawość zwycięża.

Jak każde dobre małżeństwo, osiągacie kompromis. Otrzymasz wynik dotyczący badania płci, ale niezależnie od tego jak będzie to trudne, nie powiesz Samowi, dopóki nie zapyta. W osiemnastym tygodniu ciąży dowiadujesz się, że twoje dziecko jest zdrowym chłopcem, bez żadnych oznak chromosomowych komplikacji! Bardzo uważasz, żeby mówiąc o dziecku nie zdradzić jego płci, unikając określania go jako „on" czy „jego". Jednak, w dwudziestym tygodniu Sam nie wytrzymuje i potwierdza to, co już przedtem wiedział – będziecie mieli syna.

Gdybyś nie robiła badań prenatalnych, prawdopodobnie odkryłabyś płeć swojego dziecka podczas badania ultrasonograficznego w osiemnastym tygodniu ciąży. Twój lekarz kieruje cię na rutynowe badanie USG w drugim trymestrze ciąży, żeby upewnić się, czy dziecko rozwija się prawidłowo i czy wyznaczona data porodu jest dokładna. Podczas badania, lekarz dokładnie bada anatomię dziecka, a chociaż ty nie możesz rozpoznać wszystkich narządów na ekranie, to raczej zauważysz małe, niepodobne do niczego innego, genitalia pomiędzy JEGO nóżkami.

A może odkryłaś, że twoje dziecko jest chłopcem w stary dobry sposób: chwilę po urodzeniu dziecka, wciąż łapiąc z trudem oddech usłyszałaś od położnej lub lekarza: „To chłopiec!"

W jakikolwiek sposób otrzymałaś wiadomość, witaj w ekscytującym świecie matek małych chłopców!

Od narodzin twojego syna może się okazać, że pełni dobrej chęci członkowie rodziny oraz przyjaciele zaczną udzielać ci rad dotyczących opieki nad chłopcem. Poczynając od dziwnych i tajemniczych porad aż po mądrości ludowe, możesz usłyszeć:

„Chłopca trzeba owijać w delikatne pieluszki, bo jego skóra jest bardziej wrażliwa."

„Chłopiec musi być zawinięty w worek z juty, aby uodpornić jego skórę"

„Chłopca należy obrzezać, dla higieny."

„Nie wolno ci obrzezać chłopca, to barbarzyństwo, zrujnujesz mu życie!"

Usłyszysz, że chłopcy są trudniejsi w wychowaniu od dziewczynek, lub na odwrót. Powiedzą ci, że chłopiec będzie bardziej niezależny i buntowniczy niż dziewczynka, oraz ponieważ jest tak prostolinijny i otwarty, łatwiej będzie go zrozumieć niż twoją bardziej złożoną i wysublimowaną córkę.

Niezależnie od rodzaju porady, większość rodziny, przyjaciół i innych „ekspertów" dookoła ciebie powie ci, że twój synek różni się od dziewczynki, ponieważ, jak wszyscy dobrze wiedzą „Chłopcy pozostaną chłopcami".

Chłopięce opowieści

Ellen mówi, że jej syn od początku się różnił od córki. Suzie, jej pierworodna, ze wszystkiego robiła zabawkę i siedziała spokojnie na kolanach mamy podczas jej spotkań z sąsiadkami, obserwują twarze innych matek. Ellen przyznaje: „Byłam rozpuszczona. I wtedy pojawił się mój synek Jacob i każdy przedmiot stał się nie zabawką ale pociskiem. Wszystkie plastikowe widelce, łyżki czy kawałki jedzenia w domu stawały się samochodami albo bronią!"

Chłopcy naprawdę różnią się od dziewczynek

Najnowsze badania, przeprowadzone przy użyciu zaawansowanej technologii skanowania mózgu podczas pracy organizmu, wykazały jaką rolę płeć mózgu odgrywa w oddziaływaniu na ludzkie zachowanie. Mamy solidne dowody, że struktura mózgu twojego syna, genetyczne predyspozycje i rozwój hormonalny mają ogromny wpływ w kształtowaniu małego mężczyzny. Mamy również poważne naukowe podstawy, aby stwierdzić, że mózg chłopca różni się oraz rozwija w inny sposób niż mózg dziewczynki zaczynając od kilku tygodni od poczęcia.

Funkcjonalny magnetyczny rezonans jądrowy (z ang. fMRI) wykazuje dokładnie jakie obszary mózgu są aktywne podczas rozmaitych czynności i wydarzeń. Dzięki temu wiemy jak twój syn używa mózgu w sposób różny od twojej córki. Co jest nawet bardziej interesujące, to fakt, że gdybyśmy przebadali kawałek mózgu z głowy twojego synka, to nie potrafilibyśmy powiedzieć jakiej jest rasy, pochodzenia czy religii.

Potrafilibyśmy jednak potwierdzić z całą pewnością, że należy do chłopca.

Poniżej przedstawiamy, co jeszcze wiadomo na temat różnic pomiędzy chłopcami i dziewczynkami w chwili narodzin.

❑ Po urodzeniu twój syn jest większy od dziewczynki leżącej w kojcu obok na sali poporodowej.

❑ Jego główka odziana w niebieską czapeczkę jest o 12 – 20 procent większa niż główka sąsiadki ubranej w różowy czepeczek. Będziesz musiała rozciągać jego czapeczkę, aby pasowała do większego obwodu głowy.

❑ W jego mózgu znajduje się więcej substancji szarej niż pod różową czapeczką. Substancja szara zawiera włókna komórek nerwowych, które blokują rozprzestrzenianie się informacji wewnątrz mózgu. To właśnie daje mężczyznom możliwość skupienia się całkowicie na danym zadaniu. Pamiętaj o tym, że większość arcymistrzów szachowych jest mężczyznami, nawet jeśli twój syn nie reaguje na swoje imię grając na konsoli czy komputerze.

❑ Twój syn będzie używał mózgu w inny sposób niż jego siostra. Mózg mężczyzny najczęściej wykorzystuje tylko jedną półkulę naraz i polega na wyspecjalizowanych do danych zadań regionach podczas wykonywania działań. Mózg kobiety rozdziela wykonywanie czynności na obie półkule.

❑ Twój synek może doświadczać mniej bólu i niewygody niż nowonarodzona dziewczynka. Jeśli na sali szpitalnej ktoś upuści metalowy przedmiot na podłogę, dziewczynka może płakać ze zdenerwowania. Jeśli jednak ten sam dźwięk rozbudzi twojego synka, będzie potrzebował zdecydowanego dotyku i głośniejszego uspokajającego tonu głosu niż delikatnego głaskania, które uciszy płaczącą dziewczynkę.

❑ Jednak przy porodzie mały chłopiec jest w zasadzie słabszy niż przeciwna płeć. Przebywając w macicy chłopcy są bardziej narażeni na stres matki i mają predyspozycje do przedwczesnych porodów, wrodzonych wad rozwojowych i zaburzeń oddychania.

✦ **CHŁOPIĘCE FAKTY** ✦

Efekt chromosomu Y

Można by powiedzieć, że to męski świat, ale wcale się tak nie zaczyna w macicy. Różnica polega na genetycznej podstawie budowy chłopców i dziewczynek. Dwa Xsy są, przynajmniej w macicy i przy porodzie, lepsze niż jeden. Chromosom X zawiera czynniki odpornościowe zatem szanse na przetrwanie noworodka płci żeńskiej są większe przy posiadanej podwójnej liczbie chromosomów X. Jeśli jeden okaże się wadliwy, zawsze pozostaje drugi. Jako że chłopcy mają jeden chromosom Y i jeden chromosom X, w ich przypadku nie ma mowy o rezerwach odpornościowych.

Spokojnie, nie denerwuj się jednak, ponieważ większość ciąż chłopięcych kończy się porodem ślicznego zdrowego dzidziusia.

Pomimo faktu, że przy poczęciu powstaje więcej chłopców niż dziewczynek, męskie płody mają przed sobą ciężką walkę. Chłopięcy płód jest bardziej narażony na wszelkie rodzaje katastrof, jakie mogą przydarzyć się w czasie ciąży: poronienie, zaburzenia oddychania i infekcje. Przedwczesne porody oraz narodziny martwego dziecka częściej dotykają chłopców, zaś podczas narodzin mózg chłopca jest bardziej narażony na uszkodzenie i w ten sposób pozostaje w tyle za swoją siostrą o kilka dni lub tygodniu w sensie rozwojowym.

Chłopięce opowieści

Sandy, trzydziestoczteroletnia instruktorka yogi oraz dyplomowana terapeutka masażystka, przyszła do gabinetu swojego położnika prosto z oddziału intensywnej terapii noworodków. Była załamana i zrozpaczona. Zastanawiała się na głos co zrobiła źle? Jej syn, Maddox, urodził się o dziesięć tygodni za wcześnie, i pomimo że przez całą ciążę Sandy nie miała żadnych kłopotów ze zdrowiem, wciąż się obwiniała.

Sandy nie zrobiła niczego złego i była w zasadzie modelową pacjentką. Kiedy zaszła w ciążę była sprawna fizycznie, kontynuowała ćwiczenia, odżywiała się zdrowo i regularnie odwiedzała gabinet lekarski.

Jak korzystać z książki

Mamy nadzieję, że nasza książka pomoże ci stać się najlepszym rodzicem dla twojego synka od momentu jego przyjścia na świat. Nie jest naszym zamiarem, aby książka stała się wyrocznią w sprawach wychowania i opieki nad dzieckiem. Chcemy tylko uświadomić rodzicom jak niezwykłe i wyjątkowe jest posiadanie syna. Każdy rozdział naszej książki zawiera autentyczne „Chłopięce opowieści" oraz „Chłopięce fakty" zawierające najnowsze naukowe informacje oraz profesjonalne rady.

Rozdział pierwszy przedstawia biologiczną stronę ciąży, dzięki czemu dowiesz się w jaki sposób DNA oraz hormony współdziałają, aby ukształtować rozwój chłopca. Odkryjemy tajemnice ludzkich chromosomów, genów i rozwoju mózgu, który tworzy się już w łonie matki. Ponadto, przedstawiamy najnowsze doniesienia dotyczące prawidłowego odżywiania się, efektów hyperstymulacji płodu, wpływu stresu, alkoholu, narkotyków oraz nikotyny, a także roli ćwiczeń w czasie ciąży.

Rozdział drugi rozpoczyna się od pobieżnego przeglądu na sposób w jaki biologia oraz środowisko oddziaływują na pierwsze lata życia twojego syna. Każdy bodziec zmysłowy, jaki twój nowonarodzony syn doświadcza, kształtuje sposób, w jaki jego obwody w mózgu zostają połączone. Za każdym razem, gdy twój syn doświadcza czegoś nowego, tworzy nowe połączenia w swoim mózgu. Twój chłopiec pracuje na połączeniach jakie utworzył, kiedy przebywał jeszcze w tobie. Każde doświadczenie, jak sygnał elektryczny, przenosi wiadomość. Im więcej doświadczeń, tym więcej powtórzeń i w końcu powstają ścieżki neuronowe. W ten sposób tworzy się proces uczenia się, a mózg wypełnia się informacją.

Przez lata ludzie zastanawiali się nad rolą wychowania i naturalnych predyspozycji w kształtowaniu noworodka. Wielu było za przeważającą rolą kształcenia, argumentując, że ludzie są kształtowani przez zewnętrzne bodźce dochodzące do mózgu. Rodzice, którym przyszło zetknąć się z tym poglądem, mogą czuć się przytłoczeni zmagając się z presją otoczenia. Postępy w rozwoju badań w neurologii dały nam jednakże dowody, że mózg twojego syna ma swoją własną naturę, został zaprogramowany przez geny i ewolucję, aby funkcjonować w określony sposób i wiele rzeczy zdarzy się samo, zatem nie ma tu znaczenia jaki będzie wpływ otoczenia na dziecko.

Joyce, pielęgniarka i babcia trzech wnuków i dwóch wnuczek, doskonale to rozumie. Często żartuje z innymi siostrami w gabinecie pielęgniarek: „Nie wiem naprawdę o co chodzi z tymi chłopcami. Wszyscy moi wnuczkowie urodzili się wydając odgłosy samochodu. Skąd oni wiedzą jak to się robi?" „Oczywiście," dodaje ze śmiechem „łatwo jest dowiedzieć się, co by chcieli na urodziny!"

W podsumowaniu rozdziału drugiego zamieściliśmy ćwiczenia wpływające na rozwój mózgu twojego chłopca, porady dla rodziców, streszczenie najważniejszych punktów w rozwoju oraz uwagi końcowe dla matek.

✦ CHŁOPIĘCE FAKTY ✦

Chłopiec – eksperymentator

Podczas gdy kobiety, przeciętnie, używają większej części kory mózgowej do przetwarzania słów i emocji, twój syn będzie używał kory do działań związanych z przestrzenią i ruchem. Wpłynie to na sposób procesu uczenia się. Niektórzy chłopcy najlepiej uczą się podczas wykonywania praktycznych czynności.

Procesy chemiczne działające w mózgu, które zostały wprowadzone w ruch i opisane w poprzednich rozdziałach, nie kończą się na nich. Rozdział trzeci przedstawia możliwości rozciągające się przed małym chłopcem oraz co wy, jako rodzice, możecie zrobić, aby wspomóc rozwój waszego syna w ciągu jego przedszkolnych lat.

Dlaczego chłopcy w grupie są bardziej agresywni od dziewczynek? Dlaczego preferują fizyczną aktywność w zabawach? Pierwsza część rozdziału skupia się na pełnym zestawie chłopięcych zabaw, zabawek i przyjaźni. Nie każdy chłopiec zamienia kijek w karabin. Twój syn może równie dobrze bawić się przewracając strony w swojej książeczce. Pomożemy ci rozróżnić, jakie zachowanie mieści się w normie, jakie umiejętności będzie potrzebował podczas bawienia się twój syn oraz wyjaśnimy różnicę pomiędzy żywiołową zabawą a przemocą.

Druga część rozdziału trzeciego prezentuje zapowiedzi kilku milowych kroków w rozwoju waszego dziecka jakich doświadczycie w ciągu następnych lat, jak nauka korzystania z toalety czy pierwsze dni w szkole. Rodzice oraz specjaliści rozważają jak wybrać przedszkole lub nianię oraz jak skoncentrować się na szczególnych wymaganiach rozwojowych waszego syna w latach przedszkolnych.

Rozdział czwarty pomoże wam uświadomić sobie, że nie jesteście sami. W tym rozdziale pokażemy jak odnaleźć źródła wsparcia i pomocy. Czasem trzeba nam przypomnieć, że nasze relacje z partnerem, dalszą rodziną i nami samymi wymagają takiej samej troski i zrozumienia co nasz mały chłopiec.

Różnice w użyciu mózgu oraz zachodzące w nim procesy chemiczne nie kończą się wraz z wiekiem dziecięcym. W końcowej części rozdziału przyjrzymy się jak matki i ojcowie reagują w różny sposób. Wyjaśnimy naukowo, dlaczego ojcowie mogą spać spokojnie kiedy dziecko płacze, podczas gdy matki nie potrafią. Rodzice mają sporo do opowiedzenia i pozwolimy wam skorzystać z ich doświadczeń i rad.

Na zakończenie dodaliśmy wskazówki na dalsze lata, nieco inaczej sformułowane dla mam i dla tatusiów. Mamy nadzieję, że pomogą Wam rozwijać relacje i wychowywać synka.

Mamy nadzieję, że nasza książka pomoże wam obojgu cieszyć się waszym synkiem i docenić niewiarygodne wyzwania jakie stoją przed wami. Gwarantujemy wam, że niezależnie od waszej płci podczas wychowywania waszego synka będziecie się śmiać, płakać i kochać mocniej niż kiedykolwiek.

W ciąży
z chłopcem

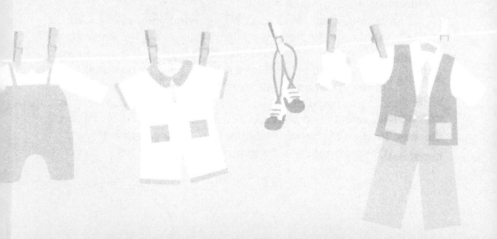

Amber, z zawodu położna, leżała w pokoju do ultrasonografii i obserwowała na monitorze jak jej dziecko pląsa po ekranie. Będąc w drugiej ciąży w wieku trzydziestu ośmiu lat, jej karta została opatrzona etykietką „zaawansowany wiek matki". Dlatego też, przeciwnie niż przy pierwszej ciąży cztery lata temu, zdecydowała się na badania prenatalne, aby wykryć ewentualne wady chromosomowe.

Lekarka przesuwała końcówkę ultrasonografu po brzuchu Amber, obserwując mózg dziecka, jego serce oraz pozostałe narządy wewnętrzne.

Amber patrzyła na monitor, kiedy przed jej oczami pojawił się widok nie do pomylenia. „Czy chciałaby pani poznać płeć dziecka?", zapytała lekarka.

„Wydaje mi się, że już ją poznałam", odparła Amber.

Obie kobiety oglądały ekran monitora z rozbawieniem. Dziecko Amber leżało z szeroko rozpostartymi nóżkami, prezentując zdecydowanie całemu światu swoje klejnoty. Za każdym razem, kiedy doktor przesuwała końcówkę ultrasonografu, dziecko przesuwało się, pilnując, aby nóżki były odpowiednio rozłożone, dając kobietom niezapomniane widoki.

„Bardzo chciał mi przekazać, żebym wiedziała, że jest CHŁOP-CEM", śmiała się Amber dwa lata później. „Myślę, że uczciwie chciał mnie uprzedzić, co mnie czeka, kiedy będzie się ze mnie śmiał uciekając nago po podłodze i szarpiąc się za siusiaka!"

Być może, podobnie jak Amber, przeszłaś przez badania prenatalne i dowiedziałaś się, że urodzisz zdrowego chłopca. A może masz już dwie córeczki i po cichu marzysz o synku, kiedy idziesz na obowiązkowe badanie USG w szesnastym tygodniu ciąży? Wiesz, że masz w środku chłopca. Mogłaś się też zdecydować, że zaczekasz z poznaniem płci aż do porodu. Na pytania przyjaciół i współpracowników „Wolisz chłopca czy dziewczynkę?" odpowiadasz „Nie ma znaczenia, byle by było zdrowe".

✦ **CHŁOPIĘCE FAKTY** ✦

Dlaczego lekarz daje skierowanie na badania prenatalne?

• Masz trzydzieści pięć lat lub więcej, a ryzyko urodzenia dziecka z zespołem Downa oraz z innymi, rzadszymi zaburzeniami chromosomowymi rośnie wraz z wiekiem matki. Zespół Downa jest efektem posiadania przez dziecko dodatkowego chromosomu.

• W szesnastym tygodniu ciąży pobrano ci krew, aby przeprowadzić testy: połączony lub potrójny, a rezultaty były niepokojące. Przy nieprawidłowych wynikach badania krwi istnieje ryzyko urodzenia dziecka z zespołem Downa, defektem kręgosłupa lub z poważnym uszkodzeniem mózgu. PAMIĘTAJ! Bardzo często można otrzymać fałszywe pozytywne wyniki. Zazwyczaj spowodowane jest to błędnym obliczeniem daty porodu. Dalsze badania oraz USG pozwolą uzyskać dokładniejsze rezultaty.

• Miałaś USG i wykryto nieprawidłowości.

• W twojej rodzinie zdarzały się przypadki wad genetycznych.

• Masz już jedno dziecko z zaburzeniami chromosomowymi.

Być może trzymasz już niemowlę w ramionach, a przewracając karty tej książki starasz sobie przypomnieć, jako to było, kiedy dziecko przeciągało się lub czkało w twoim brzuchu. Niektórzy rodzice mogą się zastanawiać, czy możliwe jest wybranie płci dziecka. Pytają, czy istnieją jakieś metody zwiększające szanse na posiadanie chłopca. Nauka jednak odpowiada „NIE"!

✦ CHŁOPIĘCE FAKTY ✦

Chłopiec gwarantowany: czy mamy się kochać na stojąco?

W zależności od przesądu, powinnaś:

- Jeść więcej słonej żywności, surowego mięsa, ryb, jajek, kurczaka, pikli, oliwek, groszku, kukurydzy, fig, moreli, rodzynek, suszonych śliwek, fasoli, awokado, cukinii, grzybów i dużo roślin strączkowych wszelkiego rodzaju.
- Spożywać mniej mleka i produktów mlecznych.
- Dopilnować, aby ojciec dziecka wypijał filiżankę mocnej kawy na pół godziny przed udaniem się na spoczynek.
- Kochać się na stojąco, w nocy, w dzień owulacji lub w nieparzyste dni miesiąca.
- Doprowadzić się do orgazmu jako pierwszej.
- Trzymać nogi w górze przez pół godziny po stosunku.
- Wziąć prysznic przed stosunkiem.

Pamiętaj:

- Wszystkie powyższe rady są przesądami, nie mają odniesienia w rzeczywistym życiu.
- Żadna z powyższych sugestii nie została poparta badaniami naukowymi.
- Jednak statystyki są po twojej stronie: na każde pięćdziesiąt urodzonych dziewczynek przypada pięćdziesiąt jeden chłopców.

W jakikolwiek sposób udało się wam spłodzić chłopca, dowiecie się teraz jak geny, DNA i chromosomy współdziałały przy jego tworzeniu oraz jak potężny hormon testosteronu wspomaga jego dalszy rozwój, a także poznacie wyniki badań naukowych nad różnicami płci poczynając od momentu narodzin.

Jeśli jesteście ciekawi, dlaczego wasi przyjaciele i rodzina powtarzają, że chłopcy różnią się od dziewczynek, czytajcie dalej!

Porozmawiajmy o genach

1. Co to jest DNA? Ciało ludzkie składa się z wielu różnych rodzajów komórek: komórek mózgowych, komórek skórnych, komórek krwi, wymieniając tylko kilka z nich. DNA jest zestawem instrukcji lub projektem każdej komórki. Odpowiada za to, czy dana komórka pozwoli chłopcu oddychać lub wspomoże bicie jego serca.

2. Co to są geny w takim razie? Geny składają się z DNA. Są jak podręcznik użytkownika dla ciała twojego syna. Każą jego ciału rozwijać się i funkcjonować. Określają, czy chłopiec wyrośnie wysoki i smukły jak ciocia Debbie czy niski i krępy jak wujek Harry. Geny twojego syna warunkują czy będzie miał problemy z cholesterolem i skłonności do chorób serca. Twój syn posiada szacowaną liczbę dwudziestu pięciu tysięcy genów.

3. Co to jest chromosom i gdzie on się znajduje? W środku większości komórek ciała leży jądro, czyli centrum zarządzania komórki. Wewnątrz jądra znajdują się chromosomy, właściciele genów twojego ciała. Chromosomy są połączone parami, jak buty. Każdy z nas ma dwadzieścia trzy pary chromosomów. Kiedy jako rodzice spłodziliście syna, każde z was dało mu połowę zestawu dwudziestu trzech chromosomów.

4. Co czyni mojego syna chłopcem? Obwiniaj chromosomy, szczególnie dwa z nich nazwane X oraz Y. Komórka jajowa matki zawsze przekazuje chromosom X, natomiast sperma ojca może przekazać chromosom X lub Y. W waszym przypadku, był to Y. Chłopcy są XY!

✦ CHŁOPIĘCE FAKTY ✦

Nerwowe odległości

Czterdzieści sześć chromosomów twojego syna zwiera tak wiele informacji, że gdybyśmy chcieli ją spisać, dane wypełniłyby by stos książek wysoki na sto metrów! Gdyby wyjąć skręcone DNA z jednej komórki i rozciągnąć je, wówczas byłoby długie jak samochód osobowy. Gdyby wyciągnąć całe DNA z ludzkiego ciała, rozciągałoby się na sześćsetkrotną odległość pomiędzy słońcem a ziemią.

Chociaż chromosom X matki jest długi i cienki, zawierając nawet czternaście setek genów, przysadzisty chromosom Y ojca posiada tylko około czterystu genów. Jest to najmniejszy chromosom w ciele twojego syna. W przeciwieństwie do innych chromosomów nie ma swojego odpowiednika. Chociaż chromosom Y jest dość mizerny w porównaniu z X, zawiera bardzo ważny gen SRY. Wyobraź go sobie jako znacznik płci na chromosomie Y. Niektórzy badacze nazywają go czynnikiem determinującym jądro, co daje pewne pojęcie jak ważny jest on dla rozwoju męskiego embrionu. Znany jest również jako gen nadrzędny, ponieważ motywuje inne geny w pozostałych chromosomach do budowy męskich narządów ciała chłopca.

Wspólnie, geny kierują tworzeniem się chłopca. Jego podróż właśnie się zaczyna.

Od embrionu do niemowlaka

Podróż twojego syna w kierunku stania się mężczyzną odbyła się w trzech fazach, rozpoczynając od rozwinięcia się jego jąder. Następnie powstały organy wewnętrzne, a na końcu ujawniła się reszta zewnętrznych genitaliów.

Krok 1. Formowanie się jąder. Około ósmego tygodnia twojej ciąży gen SRY uaktywnił się i rozpoczął proces tworzenia jąder twojego dziecka, które zaczęły wytwarzać testosteron. Do tego czasu twój synek, jedynie mały embrion, był skąpany w męskim hormonie. To było pierwsze z trzech „uderzeń" testosteronu, które trwało aż do dwudziestego czwartego tygodnia twojej ciąży.

Krok 2. Formowanie się wewnętrznych organów męskich. Testosteron zadziałał tu jako dyrektor przedstawienia. Na scenie, czyli w brzuchu twojego syna, pojawiły się dwie cienkie struny nazywane przewodem śródnercza, zamieniając się w wewnętrzne organy płciowe. O tę rolę starały się również dwie inne struny, nazywane przewodem przyśródnerczowym, i gdyby ją dostały, stałyby się zaczątkiem żeńskiej anatomii. Jednakże produkt chromosomu Y wykonał sztuczkę ze znikaniem przy użyciu przewodu śródnerczowego, I w ten sposób zaczęły tworzyć się męskie orga ny rozrodcze.

Krok 3. Narządy zewnętrzne. Aż do dziewiątego lub dziesiątego tygodnia ciąży obszar, na którym powinny pojawić się organy płciowe, nie był jeszcze sprecyzowany. Nie było tam nic, co wskazywałoby jednoznacznie na wykształcenie się dziewczynki lub chłopca. Jednak testosteron znowu się wtrącił i wyprodukował DHT, czyli 5-alfa-dihydrotesteron, który rozpoczął przedstawienie. Aż do tego momentu, pomiędzy nóżkami twojego dziecka widoczna była tylko niewielka wypukłość. Dzięki DHT, wypukłość ta przekształciła się w penis, a obszar pod nim w pustą mosznę. Jądra, które w tym momencie przebywały jeszcze w brzuchu, wkrótce zstąpią i zajmą swoje miejsce w mosznie.

Testosteron uderza, uderza i uderza
Chłopcy doświadczają trzech serii „uderzeń" testosteronu w ciągu życia.

Pierwsza seria, opisana powyżej, rozpoczęła się, kiedy jądra zaczęły produkcję testosteronu, który doprowadził do utworzenia się męskich narządów płciowych. Druga seria rozpoczyna się krótko po narodzinach, trzecia natomiast w okresie dojrzewania.

Pierwsza seria uderzeń testosteronu kierowała rozwojem struktur, które później będą potrzebne do reprodukcji. Mniej wiemy o efektach drugiej serii testosteronu. Sądzimy, że pomagają w przygotowaniu struktur do procesu rozmnażania. Chwilowo wydaje się to tak odległe!

Ostatnia seria uderzeń męskiego hormonu w okresie dojrzewania zapoczątkuje procesy, które zmienią twojego chłopca w dojrzałego mężczyznę. Kiedy rozpocznie się dorastanie, z trudem rozpoznasz swojego chłopca, kiedy wystrzeli w górę i rozrośnie się, a jego głos obniży się o oktawę lub dwie. Androgeny (testosteron i jego koledzy) będą pracować nad jego mięśniami i kośćmi, pobudzając ich wzrost. Choć trudno to sobie teraz wyobrazić, twój mały synek obrośnie włosami na twarzy, pod pachami, w kroczu i na innych częściach ciała, a spowodowane to będzie przez ten sam testosteron, który pozwolił embrionowi określić swój męski status. Testosteron jest odpowiedzialny nie tylko za zmiany fizyczne, jakich doświadczy twój syn, lecz również powoduje falę zdecydowanie męskich zachowań.

Czy mózg twojego syna różni się od mózgu jego siostry?

Tak. Absolutnie.

Testosteron odpowiada za oczywiste fizyczne różnice pomiędzy chłopcami i dziewczynkami, mężczyznami i kobietami. Najnowsze badania sugerują, że chromosom Y, testosteron i pokrewne mu hormony mają znaczny wpływ na tworzenie się mózgu chłopca. Zmiany te zaczynają się już kiedy mózg oraz system nerwowy zaczynają powstawać w łonie matki.

Podobnie jak w przypadku narządów płciowych, gdyby można było podejrzeć wczesny rozwój mózgu, nie można by odróżnić mózgu chłopca i dziewczynki. Wszyscy zaczynamy tak samo. Jednak zanim spostrzegłaś, że miesiączka się spóźnia, mózg twojego syna rozpoczął swoją męską podróż.

W jaki sposób rośnie mózg dziecka?
Właśnie sprawdziłaś wynik testu ciążowego i otrzymałaś radosną wiadomość. Mózg twojego dziecka już rozpoczął się tworzyć. Twój synek był tylko czymś więcej niż małym płaskim dyskiem unoszącym się nad kulą komórek. Transformacja tej małej kropelki chemicznie napędzanych komórek w młodego mężczyznę, który będzie rozwiązywał skomplikowane zadania, budował interesujące struktury i czytał podręczniki do historii jest zdumiewającym procesem. Niewielki rowek wykształcił się wzdłuż tego dysku. Szczelinka pogłębiła się i ostatecznie zapieczętowała swoje brzegi, żeby utworzyć długi kanał, cewę nerwową. Przez pięć tygodni organ, który wyglądał jak grudkowata larwa, zapoczątkował najbardziej spektakularny wyczyn w rozwoju człowieka: tworzenie głęboko pomarszczonej kory mózgowej, części, która pozwoli twojemu synowi poruszać się, myśleć, mówić, planować i tworzyć. Mózg twojego rozwijającego się chłopca zmienia się bardzo przez następne trzydzieści cztery tygodnie do tego stopnia, że naukowcy są w stanie określić, w którym tygodniu ciąży jesteś patrząc tylko na mózg dziecka.

Co unikalnego jest w mózgu małego chłopca?
Mózg twojego syna będzie wykonywał miliony operacji w unikalny męski sposób.
Rozpoczynając od ósmego tygodnia ciąży jego mózg jest zalewany przez liczne fale męskich hormonów. Podróżując przez układ krwionośny od jąder do mózgu, testosteron i podobne mu hormony modyfikują funkcje mózgu oraz kształtują sposób w jaki mózg przetwarza, przechowuje i wykorzystuje informacje. Testosteron w zasadzie wpływa na to jak układają się obwody w mózgu twojego chłopca. Poprzez skomplikowaną współpracę genów oraz hormonów płciowych, mózg twojego dziecka przyjmie budowę oraz działanie męskiego mózgu.

Jego mózg będzie:

- Kontrolował temperaturę ciała, ciśnienie krwi, bicie serca i oddech;
- Przekładał napływ informacji docierający z zewnątrz poprzez oczy, uszy, nos oraz kubki smakowe;
- Regulował jego fizyczne ruchy podczas chodzenia, rozmawiania, stania bądź siedzenia;
- Myślał, marzył, śnił, rozumował i doświadczał emocji.

A wszystko to wykonywane jest przez jeden organ wielkości małego grejpfruta!

Szybka wycieczka wokół mózgu małego chłopca
Kluczowymi graczami w mózgu twojego syna są:

1. Kresomózgowie. Największa część mózgu to kresomózgowie, nazywane również półkulami mózgowymi. Większa część wagi mózgu, czyli 85% zajmuje kresomózgowie. Jest ono ośrodkiem wyższych funkcji mózgowych – myślenia, rozumowania, mówienia i interpretowania otoczenia. Tutaj są przechowywane wspomnienia i przetwarzane emocje. Kiedy twój syn zacznie raczkować, to kresomózgowie będzie zarządzać ruchem jego rąk i nóg.

2. Móżdżek. Chociaż znacznie mniejszy od kresomózgowia, bo zabierający jedynie jedną ósmą jego rozmiaru, móżdżek jest bardzo ważną częścią mózgu. Kontroluje równowagę, ruch i koordynację mięśni. Dzięki móżdżkowi twój syn będzie mógł stać prosto, utrzymać równowagę, chodzić, biegać i skakać.

3. Pień mózgu. Kolejna mała acz potężna część mózgu to pień mózgu, który leży poniżej kresomózgowia naprzeciw móżdżka. Pień mózgu łączy mózg z rdzeniem kręgowym i zarządza wszystkimi podstawowymi funkcjami, jakich twój syn potrzebuje, aby utrzymać się przy życiu, czyli oddychaniem, trawieniem żywności i krążeniem krwi.

4. Przysadka mózgowa. Rozmiaru ziarnka grochu, przysadka mózgowa odpowiedzialna jest za wzrost ciała twojego chłopca poprzez produkcję i rozprzestrzenianie hormonów wzrostu. **5. Podwzgórze.** Ostatnie, choć wcale nie najgorsze, jest podwzgórze, regulator emocji, temperatury i poboru żywności oraz wody. W pewnym momencie twój syn powie ci, żebyś nie nakładała mu kurtki kiedy TOBIE jest zimno – a za to możesz podziękować jego podwzgórzu!

W jaki sposób cewa zamienia się w mózg?
Cewa nerwowa (wydzielona część wczesnych komórek) zaczyna przypominać precel puchnąc, zwijając i rozdzielając się, żeby uformować różne części mózgu. Poprzez podział tworzy trzy części: przodomózgowie, śródmózgowie oraz tyłomózgowie. Oczy i nos małego chłopca powstaną z wydzielonego przez cewę nerwową przodomózgowia. Ten obszar również przekształci się później w kresomózgowie oraz podwzgórze. Śródmózgowie stanie się pieniem mózgu, a tyłomógowie – móżdżkiem. W tym momencie mózg dziecka zaczyna się gwałtownie rozwijać. Gdybyś mogła go teraz zobaczyć, byłabyś zdziwiona jego wyglądem. Prawie całe jego ciało składa się z głowy!

Wewnątrz cewy komórki dzielą się szybko i sprawiają, że cewa zaczyna się pogrubiać. Niektóre z tych komórek staną się później neuronami lub komórkami nerwowymi. Początkowo neurony są produkowane w środkowym kanale cewy nerwowej, jednak pomimo że mają tu swój początek, nie pozostają w jednym miejscu, ale przemieszczają się w kierunku mózgu. Te komórki zbierają się wspólnie, aby utworzyć różne ośrodki mózgu i rdzenia kręgowego oraz wysyłają neuryty, długie nitkowate wyrostki, aby łączyły się z pozostałymi nerwami.

W dziewiątym tygodniu ciąży powiększający się mózg embrionu pozwala dziecku zginać ciało, czkać oraz reagować na głośne dźwięki.

Do dziesiątego tygodnia mózg twojego syna co minutę produkuje prawie 250 tysięcy nowych neuronów.

Do drugiego semestru ciąży zaczynają się formować fałdki i wypukłości na mózgu twojego syna. Natura postanowiła wykorzystać pofałdowaną budowę kory mózgowej, aby umieścić jak najwięcej neuronów na jak najmniejszej przestrzeni.

Do czterdziestego tygodnia bądź terminu porodu, mózg małego chłopca jest arcydziełem inżynierii wyprodukowanym przez geny i hormony.

Czy ciąża „chłopięca" różni się od ciąży „dziewczęcej"?

Owszem, ale raczej nie jesteś w stanie tego zauważyć. Oto kilka faktów odkrytych przez naukowców.

- Chłopięce płody są ogólnie bardziej aktywne od dziewczęcych.
- Zgłodniałaś? Kobiety noszące chłopców zjadają o 10 procent kalorii więcej niż przyszłe mamy dziewczynek. Dobra wiadomość to ta, że nie przytyjesz więcej chodząc w ciąży z chłopcem. Badania wyjaśniają, dlaczego chłopcy w okresie płodowym ważą więcej. Sygnały pochodzące z twojego brzucha mówią ci, że twój syn zużywa więcej energii niż dziewczynka.
- Z każdym tygodniem ciąży chłopcy przybierają więcej na wadze niż dziewczynki, zatem w chwili porodu ważą średnio więcej o około 250 gramów. Mają większe główki, a ich ciała są dłuższe od dziewczęcych.

Wciąż dowiadujemy się nowych faktów na temat różnic pomiędzy ciążą męską a żeńską. To aktywny obszar badań, więc trzymaj rękę na pulsie!

✦ CHŁOPIĘCE FAKTY ✦
Mądrość ludowa ma swoje racje

Oto kilka mądrości ludowych Według tej wiedzy, nosisz chłopca kiedy:
- Tempo bicia serca dziecka jest mniejsze niż 140 uderzeń na minutę.
- Nosisz dziecko ustawione przodem.
- Nosisz dziecko nisko.
- Włosy na nogach rosną szybciej.
- Skóra na dłoniach robi się szorstka.
- Masz ochotę na słone.
- Poprawia ci się cera.

Czy mój synek będzie zdrowy?
Dziesięć prostych do wykonania zadań

Teraz, kiedy jesteś już w ciąży, prawdopodobnie przykładasz większą wagę do swojej diety. Dostarczenie właściwych składników odżywczych jest ważne nie tylko dla zdrowia twojego maleństwa – odpowiednia dieta wpływa też na rozwój mózgu. Niektóre rodzaje żywności oddziaływują pozytywnie na pamięć chłopca oraz jego zdolności do uczenia się, podczas gdy inne mogą przeszkodzić w odpowiednim rozwoju mózgu. Poniższe rady pozwolą ci polepszyć możliwości uczenia się twojego przyszłego Einsteina.

1. Po pierwsze dbaj, aby utrzymać właściwą wagę ciała podczas ciąży. Lekarze zalecają, aby kobiety o normalnej wadze ciała przybierały na wadze od 11 do 17 kilogramów w czasie ciąży. Badanie przeprowadzone przez Państwowy Instytut Zdrowia w USA wykazały, że kobiety trzymające się powyższych zaleceń urodziły dzieci z większym ilorazem inteligencji niż matki, które przybrały więcej lub mnicj niż zalecane kilogramów w czasie ciąży. Jest to pewien rodzaj efektu domina, jako że twoje przybranie na wadze w ciąży wpływa na wagę urodzeniową dziecka, co z kolei oddziaływuje na rozmiar jego mózgu i wysokość ilorazu inteligencji. Przybranie zbyt wiele lub zbyt mało na wadze w czasie ciąży może doprowadzić do komplikacji przy porodzie, co może mieć wpływ na dziecko. Kobiety z nadwagą lub niedowagą powinny poradzić się swoich lekarzy lub położnych w celu ustalenia optymalnego przyrostu wagi ciała.

2. Przyjmuj następujące witaminy i minerały:

- Bez odpowiedniej ilości **żelaza**, istotne obszary mózgu twojego dziecka nie rozwiną się tak jak powinny, co może prowadzić do nieodwracalnych uszkodzeń. Czerwone mięso, fasola, produkty zbożowe i szpinak są świetnymi źródłami żelaza.

- **Kwas foliowy** jest niezmiernie ważny dla rozwoju cewy nerwowej. Jedz zielone liściaste warzywa takie jak sałata czy kapusta włoska. Suszone owoce i sok pomarańczowy są również dobrym źródłem kwasu foliowego. Wybieraj pieczywo, płatki i inne produkty zbożowe, które są wzbogacone kwasem foliowym.

- Najnowsze badania wykazały, że istnieje związek pomiędzy zażywaniem prawidłowych ilości **wapnia** a zmniejszonym ryzykiem zachorowania na zatrucie krwi – komplikacjami ciąży, które mogą spowodować przedwczesny poród i nieprawidłowy wzrost płodu.

- **Zażywaj witaminy dla kobiet w ciąży, nawet jeśli nie możesz przełknąć jedzenia!** Kobiety w ciąży często mają trudności ze spożyciem wszystkich składników odżywczych niezbędnych dla zdrowia, zwłaszcza w pierwszym trymestrze, kiedy zapach lub smak potrawy raczej powoduje wycieczkę do toalety niż przyciąga do stołu.

Witaminy i preparaty prenatalne, jakie zaleca twój lekarz lub położna są odpowiednio przygotowane dla potrzeb kobiet w ciąży. Zatem zanim wyrzucisz swoje tabletki, ponieważ przyprawiają cię o mdłości, spróbuj zażywać je z pokarmem lub zmień ich rodzaj. Pamiętaj, witaminy dla kobiet w ciąży są suplementami dobrze zbalansowanej diety. Nie zastąpią składników odżywczych, jakich potrzebuje twój organizm, one jedynie wzbogacają twój jadłospis. Na przykład, witaminy nie zawierają całej wymaganej dziennej ilości spożycia wapnia i żelaza.

3. Regularnie odwiedzaj dentystę. Kobiety cierpiące na choroby dziąseł w przeciwieństwie do matek ze zdrowymi dziąsłami są częściej narażone na przedwczesne porody. Niektóre z badań sugerują, że ryzyko może być nawet dziewięciokrotnie większe! A przedwczesne narodziny nie są dobre dla mózgu małego chłopca. Twój naturalny inkubator, czyli macica, jest lepszym miejscem niż jakakolwiek zaawansowana technicznie maszyneria na oddziale intensywnej terapii noworodków.

4. Zbadaj tarczycę. Wiele kobiet cierpi na często niezdiagnozowaną niedoczynność tarczycy. Proste badanie krwi pozwoli stwierdzić, czy musisz zażywać odpowiednie suplementy diety, które z łatwością załatwią ten problem. Dzieci, których matki miały nieleczoną tarczycę w czasie ciąży, zdobywają mniej punktów w testach na inteligencję niż dzieci, których matki zdrowy gruczoł tarczycy.

5. Podnieś poziom choliny w organizmie. Składnik odżywczy, o którym nigdy wcześniej nie słyszałaś, jest istotny dla prawidłowego rozwoju mózgu twojego syna. Badania przeprowadzone na zwierzętach wykazały, że cholina odgrywa znaczną rolę podczas formowania się dwóch głównych ośrodków mózgu odpowiedzialnych za naukę oraz pamięć. Dieta uboga w cholinę w czasie ciąży może spowodować trwałe szkody w procesach chemicznych i rozwojowych mózgu twojego dziecka. Przyszłe mamy potrzebują 450 miligramów choliny dziennie. Nie jest to trudne, jeśli spożywasz jajka, wołowinę i produkty mleczne. Soja jest również dobrym źródłem choliny.

6. Jedz ryby, znakomite jedzenie, choć niektóre gatunki mogą zawierać wysokie stężenie rtęci i dlatego powinnaś ich unikać. Nie jedz mięsa rekina, miecznika i makreli królewskiej. Rtęć może zaszkodzić rozwojowi mózgu twojego dziecka. Jednak ryby bogate w kwasy tłuszczowe omega-3, mogą wspomóc możliwości umysłowe małego chłopca.

✦ **CHŁOPIĘCE FAKTY** ✦

Naprawdę jesteś tym co jesz

Tak samo jak twój mały synek. W badaniach przeprowadzonych przez Harvard Medical School istniała zależność pomiędzy ilościami spożywanej ryby a inteligencją dzieci. Im więcej ryby jadły kobiety w ciąży, tym lepsze wyniki w rozwoju umysłowym osiągały ich dzieci w badaniach przeprowadzonych w szóstym miesiącu życia.

7. Jedz dużo białka. Podstawowym budulcem organizmu twojego dziecka jest białko. Dzięki niemu z małej zapłodnionej komórki rodzi się urocze dziecko. Nasz mały kolega ma przed sobą jeszcze dużo pracy i potrzebuje twojej pomocy.

8. Unikaj alkoholu. Alkohol jest szkodliwy dla rozwoju dziecka. Jest w stanie przeniknąć przez łożysko do płodu i sprawić, że poziom alkoholu we krwi twojego synka będzie tak samo wysoki jak u ciebie. Jeśli ty jesteś podchmielona, twoje dziecko również. Alkohol nie tylko prowadzi do uszkodzeń mózgu, może także obniżyć poziom testosteronu twojego syna. Najbardziej niebezpieczny okres jest w czasie połowy drugiego trymestru, kiedy następuje pierwsza fala uderzenia testosteronu, co nie znaczy, że pozostałe okresy są bezpieczne.

9. Nie pal papierosów i nie zażywaj narkotyków. Wiemy już, że chłopcy mają tendencję do przedwczesnych porodów, a dzieci, których matki palą papierosy, znajdują się w jeszcze większej grupie ryzyka. Łożysko palącej matki jest mniejsze i nie funkcjonuje poprawnie. Palenie ponadto zwiększa poziom testosteronu u płodu. Badania wykazały, że dodatkowe wystawienie na działanie testosteronu może spowodować, że chłopiec będzie niezwykle agresywny ze skłonnościami do nadpobudliwości nerwowo-ruchowej (ADHD).

✦ **CHŁOPIĘCE FAKTY** ✦

Stres u mamy

Hormony stresu u matki mogą hamować płodowy rozwój mózgu poprzez ograniczenie przepływu krwi do macicy. Inna teoria głosi, że pewne związki chemiczne są uwalniane w wysokich ilościach podczas stresujących sytuacji. Owe związki mogą przeszkodzić w produkcji neuronów oraz synaps w mózgu. Wszyscy miewamy gorsze dni, lecz jeśli stale czujesz się przygnieciona ciężarem odpowiedzialności i obowiązków, jesteś przygnębiona lub zła, pozwól sobie pomóc. Nie jest niczym złym szukanie profesjonalnej pomocy, jeśli nie potrafisz rozwiązać swoich problemów nawet przy pomocy rodziny i przyjaciół.

10. Ruszaj się. Ruch jest dobry zarówno dla ciebie jak i dla dziecka, gdyż powoduje wzrost jego możliwości umysłowych. Istnieją naukowe dowody, że pięciolatki, których matki ćwiczyły w ciąży, osiągnęły znacznie lepsze wyniki w ogólnych testach na inteligencję oraz w testach badających możliwości językowe. Wibracje czy dźwięki jakie ćwiczenia wywołują w macicy mogą stymulować rozwój układu nerwowego. Nie wspominając już o fakcie, że regularne ćwiczenia pomagają kontrolować przyrost wagi ciała.

Co jeszcze mogę zrobić
dla rozwoju mózgu mojego dziecka?

Rozmaici autorzy i „eksperci" proponują hyper-stymulację twojego dziecka w regularnych odstępach czasu, aby wspomóc rozwój jego mózgu. Sugestie obejmują mówienie do dziecka poprzez kartonową tubę, słuchanie Mozarta, czytanie dziecku w obcym języku czy błyskanie ostrym światłem na brzuch matki.

Czy taki rodzaj symulacji działa? W ogłoszeniach podobnych metod pojawia się wiele autentycznych głosów zadowolonych rodziców. Zarzekają się, że ich dzieci są mądrzejsze, sprawniejsze fizycznie i bardziej towarzyskie niż przeciętnie. Naukowcy, jednakże, są sceptyczni. Nie ma możliwości, by przetestować jakim dzieckiem może okazać się mały człowiek, który był lub nie był stymulowany w okresie płodowym.

Nikt nie jest w stanie z pewnością stwierdzić, czy płód nie śpi, zatem poszturchiwanie czy naświetlanie brzucha może zakłócić jego naturalne pory snu. Nierozsądne jest budzenie śpiącego noworodka. Dlaczego zatem mamy to robić płodowi?

Spokojne rozmowy z twoim dzieckiem nie wydają się być ryzykowne i w zasadzie mogą pomóc zarówno tobie jak i małemu. Myśląc o swoim synku, mówiąc do niego, pozwalając mężowi z nim porozmawiać, pomoże wam przygotować się na tego małego chłopca, który wkrótce wkroczy w wasze życie i przewróci je i siebie do góry nogami.

✦ CHŁOPIĘCE FAKTY ✦

Rola muzyki

Słuchanie spokojnej sonaty jest wspaniałym sposobem na relaksowanie się podczas ciąży, jednak nie sprawi, że twoje dziecko będzie mądrzejsze. Nie ma dowodów, że puszczanie muzyki klasycznej, czy nagrań w obcym języku polepszy rozwój umysłowy twojego dziecka zarówno przed jak i po narodzinach.

Wierzymy, że masz obecnie pojęcie w jaki sposób genetyka i hormony współdziałają, aby utworzyć chłopca, którego nosisz w łonie lub trzymasz w ramionach. W następnym rozdziale po każemy ci, czego możesz oczekiwać od swojego synka i jego umysłu w nadchodzącym roku oraz co ty i twój partner możecie zrobić, aby wspomóc naturę w rozwoju małego chłopca.

Jego pierwszy rok

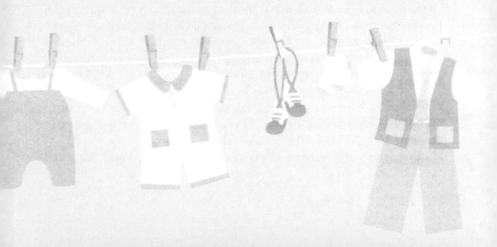

Twój syn jest już w domu.

Jesteś wykończona karmieniem w środku nocy, zmienianiem pieluszek, praniem i szukaniem czasu na umycie zębów, a wydaje się, że twój syn nie robi nic innego jak śpi, je i wydala. Zastanawiając się jak ktoś tak mały może pochłaniać tyle twojego czasu i uwagi, możesz nie zauważyć, że za z pozoru zwyczajną egzystencją twojego synka odbywa się zapierający dech w piersiach proces. Wierz lub nie, nie tylko ty jedna ciężko pracujesz!

✦ CHŁOPIĘCE FAKTY ✦
Szybszy niż błyskawica

W pierwszym miesiącu życia, mózg twojego syna ustanawia trzy miliony neuronowych połączeń na sekundę!

Wiesz już, że twój syn przyszedł na świat z ukształtowanym męskim mózgiem. Od momentu poczęcia posiadał parę chromosomów XY. Fale testosteronu opływające zarodek w macicy odegrały znaczną rolę w rozwoju jego określonego przez płeć mózgu.

Wraz z wzrastaniem twojego dziecka jego biologiczne dziedzictwo kieruje procesem jego dojrzewania. Podstawowe ukierunkowanie mózgu zostanie ukształtowane przez doświadczenie. Kiedy twój syn odpowiada na bodźce dostarczane przez otoczenie – starsze siostry, psa, mieszkanie, podwórko czy cokolwiek innego – jego mózg tworzy nowe połączenia, rozwijając sieć neuronów. To, kim stanie się twój syn w przyszłości dzięki budowie swojego mózgu jest kwestią ciągłego dialogu. Niemniej jednak pozostaje jasne, że istnieją różnice pomiędzy chłopcami i dziewczynkami, a procesów kształtowania mózgu oraz ich efektów nie można odwrócić. Twój syn często będzie zachowywał się inaczej niż jego siostra czy kuzynka. Mózg twojego syna będzie kształtował sposób w jaki będzie patrzył, słyszał, czuł i smakował. Połączenia nerwowe przebiegają od jego oczu, uszu, nosa i języka aż do mózgu, a ten zdecydowanie męski mózg będzie interpretował wszystkie te dane.

Jako wycieńczony rodzic noworodka możesz nie zauważać wielu różnic w zachowaniu pomiędzy twoim synem a nowonarodzoną dziewczynką. Z początku, wiele z tych różnic jest zauważalne jedynie dla badaczy. Jednak jeśli jesteś matką bliźniąt – chłopca i dziewczynki – będziesz bardziej wyczulona na wiele odmiennych zachowań obserwując jak twoje dzieci wzrastają razem.

Chłopięce postrzeganie świata może wydawać się matkom całkowicie obce – możesz nie rozumieć anatomii swojego syna czy poziomu aktywności jego emocjonalnego usposobienia. Jeśli chodzi o ojców, to od czasu, kiedy leżeli w kojcu minęło wiele lat, a fakt, że mały chłopiec posiada niedojrzałą wersję męskiej anatomii, nie oznacza, że może być młodszym odbiciem taty. Wasz chłopiec może wydawać się wam obojgu istotą z obcej planety, szczególnie jeśli wychowaliście się w domu z siostrami, domkami i przyjęciami dla lalek.

Emily, matka dwóch chłopców, Ethana i Caleba w wieku dwóch i czterech lat, oraz ośmioletniej Hannah, zaobserwowała, że jej synowie nigdy nie budowali domków dla wróżek jak to robiła ich starsza siostra. Ponadto była pewna, że gdyby chłopcy zobaczyli podobną konstrukcję, zadeptali by ją, jak każdego robaka, którego napotkali na swojej drodze. W wieku przedszkolnym, Hannah ostrożnie przenosiła każdego robaka, jakiego napotkała na krawędzi ścieżki zanim powróciła do zabawy. Ethan i Caleb z kolei, energicznie bawią się w „rozgniataczy" w druzgocącym dla robaków tańcu.

✦ CHŁOPIĘCE FAKTY ✦
Ja mówię wyszedłem, a ty mówisz wyszłam

Przy użyciu pozytynowej tomografii emisyjnej oraz funkcjonalnego rezonansu jądrowego, naukowcy wykryli do tej pory około stu różnic pomiędzy budową mózgu męskiego oraz żeńskiego.

Emily miała rację, kiedy zaobserwowała jak chłopcy różnią się od swojej siostry. Od początku Ethan i Caleb byli zainteresowani ruchem i przedmiotami. Ich siostra wolała twarze i uśmiechy. Wszystkie dzieci Emily miały jednak wspólną cechę: cała trójka zaczęła doświadczać i rozumieć otaczający je świat za pomocą mózgu – w procesie, który rozpoczął się w głowie, by potem spłynąć potokiem informacji do ich stóp i rączek.

Co się dzieje w tej małej łysej główce, którą gładzisz co rano i, jeśli masz szczęście, tyle kilka razy w ciągu nocy? Pierwszy rok jest karuzelą fizycznych doznań zarówno dla ciebie jak i twojego syna. Od samego początku będzie on doświadczał świat poprzez wszystkie zmysły – dotyk, wzrok, węch, słuch i smak – jako mały człowiek rodzaju męskiego.

Jak twój syn odbiera doznania wzrokowe

Przez pierwszy rok swojego życia twój syn będzie doświadczał świat poprzez zmysły; im więcej bodźców mu dostarczysz, tym bardziej rozwiną się jego zmysły. Obserwacje dokonane w sali poporodowej wykazały, że jednodniowi chłopcy byli bardziej zainteresowani oglądaniem przedmiotów, małych karuzel zawieszonych nad kołyską, niż dziewczynki, które wolały patrzeć na ludzkie twarze.

Po narodzeniu twoje dziecko widzi, jednak nie dalej niż 20–30 centymetrów. W zasadzie może być równie zadowolony patrząc na przedmioty jak na twoją twarz.

W jaki sposób twoje dziecko używa wzroku?

- Mając sześć tygodni, może skupić wzrok na odległości 30 – 60 centymetrów.
- Mając cztery miesiące, może widzieć przedmioty, bliskie lub dalekie, prawie tak dobrze jak dorosły.
- Mając pół roku jego wzrok jest już ostatecznie rozwinięty.

W okresie od dwóch do czterech dni po porodzie, naukowcy zaobserwowali różnicę w długości czasu, jaki chłopcy i dziewczynki spędzają na wpatrywaniu się w twarze rodziców. Średnio chłopcy spędzają o połowę mniej czasu od dziewczynek na utrzymywaniu kontaktu wzrokowego. Natomiast w wieku czterech miesięcy, dziewczynka jest w stanie odróżnić zdjęcia znanych jej osób od obcych twarzy.

Bardzo prawdopodobne będzie, że twój syn będzie mniej zdolny w rozróżnianiu twarzy, za to chętniej będzie się wpatrywał w ruchome przedmioty niż patrzył ci w oczy. Ciężko będzie znieść jego uciekający wzrok nawet jeśli ma dopiero parę miesięcy!

W jaki sposób działa oko?

- Światło wpadające przez oko ogniskuje się z tyłu gałki ocznej, na siatkówce.
- Na siatkówce znajdują się wyspecjalizowane komórki, pręciki i czopki, które wykrywają światło.
- Pręciki i czopki dołączone są do komórek nerwowych, które są zebrane w nerwie wzrokowym. Nerw ten przesyła informacje do ośrodka wzroku w mózgu.

- Pręciki zapisują scenę jak w czarno-białym telewizorze. Potrafią przekazać kształt rzeczy oraz wykryć ruch. Są bardzo wrażliwe na światło i mogą „zobaczyć" przedmioty nawet przy bardzo przyćmionym świetle (jak na przykład w nocy), jednak nie w kolorze. Ludzkie oko posiada około 120 milionów pręcików.
- Czopki odpowiadają za kolor i detale. Każdy z czopków jest wrażliwy na trzy kolory – zielony, czerwony i niebieski. Czopki działają jedynie przy świetle, dlatego w nocy nie widać kolorów. Ludzkie oko posiada około sześciu milionów czopków.
- Komórki w siatkówce są podatne na działanie hormonów płciowych, co oznacza, że oczy rozwijają się w inny sposób u dziewcząt i chłopców. Pamiętasz fale testosteronu? Badania wykazują, że męskie siatkówki są lepsze w wykrywaniu ruchu (pręciki), za to kobiece lepiej widzą kolory i struktury (czopki). To oznacza, że wizualnie twojego syna bardziej przyciągają poruszające się przedmioty. W badaniach przeprowadzonych na rocznych dzieciach zauważono, że chłopcy woleli oglądać filmy z samochodami, a dziewczynki preferowały filmy z ludzkimi twarzami.

Chłopięce opowieści

Lacey i Harry wraz z ośmiomiesięcznym synkiem rozglądali się za nowym większym domem. Zabrawszy ze sobą Andy'ego oglądali dom z dużym pokojem dziecięcym, w którym stały samochody i klocki oraz lalki i atrapa kuchni. Rozmawiając z pośrednikiem, Harry posadził syna na podłodze. Lacey ze śmiechem opisywała jak Andy poraczkował prosto w stronę samochodów.

Jak pomóc dziecku w rozwijaniu wzroku
Utrzymuj kontakt wzrokowy. Korzystaj z chwil, kiedy oczy twojego syna są otwarte i skierowane na ciebie. Patrz mu prosto w oczy. Za każdym razem, gdy on ogląda ciebie, buduje swoją pamięć.

Pozwól mu patrzeć na odbicie w lustrze. Z początku będzie myślał, że patrzy na innego uroczego bobasa, ale pokocha te momenty, gdy będzie mógł sprawić, aby to „drugie" dziecko machało rączkami i uśmiechało się.

Dzielcie widoki. Zabieraj dziecko w nosidełku lub wózku na spacery. Patrząc na ciebie, będzie miał twój widok, patrząc przed siebie, będziecie podzielać widoki.

Jak twój syn odbiera doznania słuchowe

Twój syn odbierał bodźce słuchowe otoczenia już od końca drugiego trymestru. Jeśli wasz pies szczekał głośno na listonosza, twoje dziecko słyszało odgłosy szczekania w macicy. Jeśli jego starszy brat wpadł do mieszkania trzaskając drzwiami i krzycząc przez cały dom, nienarodzony jeszcze chłopiec słyszał to również.

Po narodzinach, twój mały chłopiec nie ma takiej zdolności do rozróżniania dźwięków jak jego rówieśniczka. Badania wykazały, że jednotygodniowi chłopcy słyszą inaczej niż dziewczynki. Nowonarodzona dziewczynka potrafi odróżnić płacz innego dziecka od pozostałych dźwięków otoczenia, jednak prawdopodobnie twój syn nie posiada jeszcze tej umiejętności. Niemowlęta płci żeńskiej dwukrotnie częściej reagują na głośne dźwięki niż ich rówieśnicy.

Stara strategia polegająca na uspokajaniu grymaszącego chłopca zabawą i energicznym klepaniem po plecach, a dziewczynki poprzez łagodne zagadywanie i mruczenie, może mieć swoje źródła nie w społecznych stereotypach, ale w biologicznym instynkcie macierzyńskim.

Chłopięce opowieści

Rodzice Zeke'a przyjaźnili się z rodzicami Mary od pierwszych zajęć w szkole rodzenia. Mary urodziła się siedemdziesiąt dwie godziny później od Zeke'a. Rodziny wspólnie spędzały czas raz w tygodniu jedząc obiad i porównując swoje spostrzeżenia na temat dzieci. Pewnego wieczoru, rodzice Zeke'a odwiedzili dom Mary. Wiercąc się, aby go posadzono na podłodze, Zeke powędrował na czworakach bezpośrednio w stronę kominka, a Mary szybko podążyła za nim. Podczas zabawy Zeke chciał się podnieść trzymając się stojaka na narzędzia do obsługi kominka. Stojak wraz z narzędziami przewrócił się z brzękiem. Zaskoczona Mary natychmiast zaczęła głośno łkać, podczas gdy Zeke poraczkował do kominka i radośnie wytarzał się w popiele.

W jaki sposób działa ucho?

- Ucho zewnętrzne, część którą widzisz i pielęgnujesz, zbiera dźwięki z otoczenia i przesyła je do środka w stronę błony bębenkowej.

- Kiedy dźwięk uderza w błonę, powoduje wibrowanie trzech kosteczek słuchowych znajdujących się w uchu środkowym.

- Kostki te przesyłają wibrację w kierunku ślimaka, organu w kształcie ślimaczej muszli w uchu wewnętrznym. Ślimak wypełniony jest płynem, który porusza się podczas wibracji, co stymuluje małe włoski zwane rzęskami znajdującymi się tej części ślimaka.

- Pobudzone rzęski generują impulsy nerwowe wysyłane przez nerw słuchowy do płata skroniowego, czyli części mózgu odpowiedzialnej za słuch, mowę oraz pamięć.

Od lat wiemy, że chłopcy średnio słyszą gorzej od dziewcząt oraz że dziewczęta wykazują tę przewagę już od urodzenia. Ostatnio technologia dała nam wskazówkę, dlaczego tak się dzieje. Chłopcy rodzą się z dłuższym oraz bardziej elastycznym ślimakiem. Ta różnica sprawia, że organ słuchowy chłopca ma większe trudności w reagowaniu na bodźce otoczenia tak czule jak narząd słuchu dziewczynki.

✦ CHŁOPIĘCE FAKTY ✦
Umiejętność umiejscowienia dźwięku

Pomimo że naukowcy podkreślają ogólną przewagę niemowląt płci żeńskiej w umiejętnościach słuchowych, twój mały chłopiec jest jednak lepszy w umiejscowieniu pochodzenia dźwięku. Badacze twierdzą, że ta umiejętność ma swoje źródło w ewolucji, gdyż pozwalała mężczyznom zlokalizować nadciągające zagrożenie. Mimo iż twój syn nie będzie się rozglądał za szarżującym mamutem, będzie używał tej zdolności do określenia w którym miejscu pokoju znajduje się wydająca dźwięki zabawka czy z którego kierunku nadciąga wóz strażacki.

Jak pomóc dziecku w rozwijaniu słuchu

Zagaduj do niego. Choć twoje dziecko może na ciebie patrzeć bezmyślnie, nie zrażaj się i mów. Rób krótkie przerwy, żeby umożliwić dziecku odpowiedź. Niektórzy badacze przypisują opóźniający się rozwój umiejętności językowych u chłopców różnicom w słuchaniu pomiędzy chłopcami a dziewczynkami. Nie przestawaj mówić. Twój syn dopasuje się do rytmu i w swoim czasie wypełni pauzy w rozmowie.

Uaktywnij połączenia słuchowe w mózgu. Połączenia w mózgu tworzą się i umacniają kiedy ich używamy. Im częściej powtarzasz dźwięki, takie jak „muuuu" czy „brrrum", tym więcej połączeń neuronowych powstaje w mózgu twojego syna. Jego synapsy słuchowe mnożą się stale zaczynając w wieku dziewięciu miesięcy, a kończąc na dwóch latach. **Nie polegaj na telewizji czy nagraniach.** Mózg twojego synka uczy się najlepiej poprzez interakcję – ruszając dłońmi, a w tym przypadku używając uszu. Lepiej jest puścić muzykę w tle i dać dziecku do ręki grzechotkę lub drewnianą łyżkę niż włączyć edukacyjne wideo.

Jak twój syn odbiera doznania węchowe i smakowe

Świat pachnie i smakuje inaczej twojemu synowi niż nowonarodzonej dziewczynce. Obszar powonienia i smaku umiejscowiony jest w układzie limbicznym, który jest ośrodkiem pamięci i emocji. Wszyscy mamy wspomnienia jakiegoś szczególnego zapachu, jak na przykład zapach krzewu bzu, który sprawia, że przypominamy sobie czasy dzieciństwa na podwórku przed domem. Programowanie sensoryczne jest potężne i rozpoczyna się od chwili narodzin. Nos twojego syna odgrywa znaczącą rolę w rozwoju emocjonalnym.

Węch jest najbardziej rozwiniętym zmysłem przy narodzinach. Nos twojego syna jest głównym organem zarówno węchu jak i smaku. Kubki smakowe na języku twojego syna są w stanie odróżnić jedynie cztery smaki: słodki, kwaśny, gorzki i słony, wszystkie pozostałe smaki są rozróżniane przez receptory znajdujące się w przewodzie nosowym.

Twój syn używał węchu i smaku w swoim życiu płodowym. Połykając i wciągając przez nos płyny owodniowe, jego receptory węchu były skąpane w bodźcach.

Zmysł węchu jest niezmiernie istotny w życiu małego chłopca. Dopóki nie będzie w stanie widzieć lepiej, jego postrzeganie świata jest uzależnione od tego co będzie mógł zrejestrować receptorami węchowymi.

W jaki sposób działa zmysł węchu?

- Sensor węchu, nabłonek węchowy, zlokalizowany jest w nosie. W twoim nosie znajduje się w odległości około siedmiu centymetrów od nozdrzy.
- Zapachy w formie chemicznych molekuł dostają się do nosa, rozpuszczają w śluzie i stymulują komórki w sensorach węchowych. Komórki te łączą się z nerwem węchowym, który przesyła impulsy do mózgu.
- Twój syn posiada około czterdziestu milionów receptorów węchu w swoim nosie.

Chłopięce opowieści

Debra, nauczycielka przyrody w gimnazjum, sa obserwowała, że jej roczny synek Pete nie był w stanie odróżnić zapachów brzydkich od przyjemnych podobnie jak jej piętnastoletni uczniowie. Pete rzadko przerywał zabawę nawet ze śmierdzącą pieluszką. Jej uczniowie byli równie obojętni na zapachy emanujące z ich ciał. Debru żartowała, że w obu przypadkach była jedyną osobą, która zauważała potrzebę wzięcia prysznica i użycia dezodorantu czy zmiany pieluchy i przemycia pupy.

Chociaż naukowcy dowodzą, że noworodki reagują w przeciągu kilku godzin od narodzenia na zapach piersi ich matek, ta umiejętność została zaobserwowana jedynie u dziewczynek a nie u chłopców. Testosteron twojego synka odpowiada za zmniejszenie jego wrażliwości na zapachy. Pomimo tej zmniejszonej wrażliwości, twój zapach będzie dla niego bardzo szczególny i pomoże mu utworzyć więzy konieczne dla jego przeżycia.

W jaki sposób działa zmysł smaku?

- Związki chemiczne zawarte w żywności rozpuszczają się w ślinie i drażnią kubki smakowe znajdujące się na języku.
- Każdy kubek smakowy ma od 50 do 150 receptorów, które reagują najlepiej na cztery podstawowe smaki: słodki, słony, kwaśny i gorzki.
- Podobnie jak przy zmyśle węchu, impulsy nerwowe przesyłają wiadomość do mózgu, do kory mózgowej oraz układu limbicznego.
- Siedemdziesiąt pięć procent tego co twój syn postrzega jako smak z zasadzie pochodzi od zmysłu węchu. Dlatego też, kiedy dziecko ma katar, niewiele mu smakuje i nie chce mu się jeść!

Jak pomóc dziecku w rozwijaniu smaku

Karm piersią, karm piersią i jeszcze raz, karm piersią. Tak, jesteś zmęczona. Byłoby miło, gdyby twój mąż mógł cię zastąpić choć na jedną noc i dać ci pospać. Jednak jeśli nigdy nie próbowałaś mleka z piersi, to jest naprawdę smaczne. Cóż, karmienie piersią ma swoje wady (przychodzą ci na myśl w tej chwili nieprzespane noce!). Byłybyśmy niesprawiedliwe, gdybyśmy nie wspomniały, że badania wciąż przynoszą nowe odkrycia na temat wyższości kobiecego pokarmu. Na rynku znajduje się wiele wspaniałych podręczników dotyczących żywienia niemowląt oraz karmienia piersią. W książkach tych można znaleźć porady jak poradzić sobie z dwudziestoczterogodzinnym cyklem karmienia odciągając pokarm i zamrażając go na później czy uzupełnić mleko mamy mlekiem modyfikowanym. Zapytaj pediatrę na temat poradników dotyczących żywienia niemowląt.

Dostarcz dziecku rozmaitych wrażeń. Kiedy nadejdzie czas na wprowadzanie nowych pokarmów, pamiętaj o tym, że żywność oraz jej struktura są wspaniałym polem do odkryć i badań młodego człowieka.

Co jeśli nie możesz karmić piersią? Istnieją powody, dla których możesz nie być w stanie karmić piersią. Być może chorujesz lub przyjmujesz leki, które mogą zaszkodzić twojemu dziecku. Być może twój synek szarpie pierś zamiast ssać i pomimo konsultacji w poradni laktacyjnej, karmienie piersią jest dla ciebie i twojego dziecka stresującym i ciężkim przeżyciem. Lub być może jesteś matką adopcyjną.

Niezależnie od powodów, radzimy ci uspokoić się i odprężyć. Na rynku dostępnych jest wiele preparatów dla niemowląt. Zapytaj pediatry jakie mleko modyfikowane będzie najlepsze dla twojego synka. Zdecydowaną zaletą karmienia butelką jest fakt, że będziecie mogli dzielić się obowiązkami związanymi z posiłkami z partnerem, a ty będziesz dokładnie wiedziała ile zjada twoje dziecko przy każdym karmieniu.

Jak twój syn odbiera doznania dotykowe?

Skóra jest największym organem naszego ciała. Od urodzenia, dziewczynki w sali poporodowej są znacznie bardziej wrażliwe na fizyczne doznania niż chłopcy. Zmiany w temperaturze otoczenia czy mokra pieluszka nie drażnią większości chłopców w takim samym prawie stopniu. Badania wykazały, że najbardziej wrażliwy chłopiec na sali ma mniej wrażliwą skórę od najmniej wrażliwej dziewczynki. Chłopcy naprawdę mają grubszą skórę!

W jaki sposób działa zmysł dotyku?

- Sensory dotykowe znajdują się w dolnej warstwie skóry zwanej skórą właściwą.
- Skóra twojego dziecka ma około dwudziestu różnych rodzajów sensorów, które wysyłają informację poprzez rdzeń kręgowy do mózgu. Najpopularniejsze sensory są odpowiedzialne za wyczucie gorąca, zimna, bólu i ciśnienia.

- Skóra twojego dziecka posiada najwięcej receptorów bólu. To dobrze, ponieważ receptory bólu chronią twojego syna przed zagrożeniem. Zanim jego mózg zarejestruje fakt, że właśnie dotknął gorącego piekarnika, jego pień mózgu dopilnuje, żeby cofnął rękę!

Chłopięce opowieści

Sarah nie mogła się nadziwić różnicy pomiędzy swoimi dziećmi: starszą córką Reyną i jej młodszym bratem Nathanem. Reyna okazywała niezadowolenie, kiedy ubranie nie leżało na niej prawidłowo. Krzyczała, gdy skarpetki zostały założone na odwrót, ze szwem po złej stronie. Jednak, kiedy Nathan wracał ze żłobka, uśmiechnięty i zadowolony, Sarah często odkrywała, że jego skarpetki zwijały się w palcach jego butów. „Był całkowicie nieświadomy!" śmiała się Sarah.

Jak pomóc małemu gruboskórnemu człowiekowi rozwinąć zmysł dotyku

Dostarcz mu bodźców. Przygotuj zestaw tkanin o różnorodnej fakturze i gładź nimi brzuszek dziecka.

Nie bój się „męskich" zabaw. Twojemu synkowi nie przeszkadza mocniejsza fizyczna stymulacja. Nie wpadaj w panikę, kiedy twój mąż zacznie go podrzucać do góry czy bawić się z nim w samolot!

W jaki sposób twój syn uczy się mówić?

Prawdą jest, jak potwierdza większość rodziców, że chłopcy często używają mniejszej ilości słów i zaczynają mówić później niż dziewczynki. Dla wielu z was może to być nowość, kiedy będziecie mogli zaobserwować różnice w rozwoju waszego syna a córki waszych przyjaciół. Geny odgrywają znaczącą rolę w umiejętnościach werbalnych. Przeciętnie, chłopcy zaczynają mówić później niż dziewczynki i używają krótszych zdań niż ich rówieśniczki.

W połowie następnego roku swojego życia twój syn może posiadać zasób czterdziestu słów, o pięćdziesiąt mniej niż zasób dziewięćdziesięciu, które tworzą słownictwo dziewczynki w jego wieku.

Chłopcy i dziewczynki używają mózgów w inny sposób, jeśli chodzi o umiejętności językowe. Technologia pozwala nam podejrzeć pracę mózgu i dostrzec te różnice. Badania właśnie zaczynają rzucać nieco światła na procesy zachodzące w męskim i żeńskim mózgu, które przygotowują pole do występowania owych różnic. W mózgu mężczyzny i kobiety uderza różnica w sposobie funkcjonowania półkul mózgowych, w szczególności zaś lewej. Chłopcy polegają głównie na lewej półkuli, natomiast dziewczynki dzielą procesy mniej więcej po równo pomiędzy obie półkule. Twój syn będzie szczególnie polegał na ośrodku Broki, obszarze mózgu odpowiedzialnym za generowanie mowy leżącym w lewej półkuli. Kiedy naukowcy zmierzyli rozmiar większej równiny skroniowej, obszarze mowy w obu półkulach mózgu żeńskiego i męskiego, odkryli, że kobiety przeznaczają równą ilość przestrzeni mózgowej na mowę, podczas gdy mężczyźni przeważnie używają lewej półkuli.

Gdyby naukowcy zajrzeli do mózgu nowonarodzonego chłopca w pierwszych dniach jego życia, mogliby zaobserwować różnice w układzie neuronowym mózgu pomiędzy nim a dziewczynką urodzoną w pokoju obok. Nawet wtedy jego neurony reagowałyby na podekscytowaną rozmowę w innych obszarach mózgu niż u jego rówieśniczki. Po trzech miesiącach, skan wykazuje, że chłopiec reaguje w lewej półkuli, podczas gdy dziewczynka używa prawej. Urodziła się z większym obszarem mowy w lewej półkuli i z tej strony rozpoczęła jego rozwój. Różnice w słyszeniu

✦ CHŁOPIĘCE FAKTY ✦

Dodatkowe komórki nerwowe mowy

Układ nerwowy w mózgu odpowiedzialny za mowę jest gotowy od chwili narodzin twojego syna czekając aż ten zacznie się z tobą porozumiewać, jednak obwody w jego mózgu nie zostały jeszcze połączone. Przy narodzinach, geny twojego syna utworzyły podstawową mapę neuronów niezbędnych do przyswojenia języka. Twoje dziecko ma więcej komórek nerwowych niż jest to potrzebne do przyswojenia języka i do końca pierwszego roku życia zacznie się stopniowo pozbywać tych, których nie używało. Twój mały chłopiec urodził się z możliwością nauczenia się dowolnego języka na świecie dzięki wyjątkowej kombinacji połączeń nerwowych.

Przez pierwsze dwa lata życia, dynamicznie rozwijający się mózg twojego syna będzie doświadczał świata słuchając ciebie. Połączenia nerwowe zaskoczą. Dźwięki i układy powtarzane regularnie spowodują, że połączenie nerwowe utrwalą się. Za każdym razem, kiedy zobaczysz pociąg i powtarzasz „ciuchcia, ciuch, ciuuuu!" przygotowujesz się na dzień, w którym twój syn zobaczy pociąg i zapiszczy „ciu, ciu!". W ten sposób wzmacniasz połączenia nerwowe w mózgu. Neurolodzy komentują: „Neurony, które zaskoczą razem, utrwalają te połączenia".

odgrywają rolę w rozwoju językowym twojego syna. Impulsy nerwowe z prawego ucha przechodzą bezpośrednio do lewej półkuli, a z lewego do prawej. W jednym z eksperymentów naukowcy założyli dzieciom słuchawki i puszczali dźwięki do prawego lub lewego ucha. Gdybyśmy postąpili podobnie z twoim synem, odkrylibyśmy, że chętniej i lepiej reagował by na dźwięki dochodzące do niego z prawego ucha.

Inne wyniki badań elektromagnetycznych mózgu ukazują, że ośrodki mowy znane jako ośrodek Broki oraz ośrodek Wernickego są proporcjonalnie większe w mózgach kobiecych – zawierają więcej neuronów, które są gęściej połączone i mają dłuższe dendryty. Nic dziwnego, że twój syn będzie używał na co dzień mniej słów niż przeciętna dziewczynka.

Jakby te wszystkie różnice w budowie mózgu nie były wystar czającym powodem dla opóźnienia w rozwoju mowy u chłopców, naukowcy odkryli, że nawet jeśli chłopcy i dziewczynki podążają podobną ścieżką rozwoju w macicy i poza nią, istnieją wymierne różnice, gdyż górne drogi oddechowe oraz mięśnie odpowiedzialne za mowę rozwijają się inaczej u chłopców niż u dziewczynek. Znowu dziewczynki są uprzywilejowane w tym względzie.

Zatem cóż może uczynić rodzic małego chłopca?

Po pierwsze, nie martw się! Przejrzyj dział z beletrystyką w najbliższej księgarni i policz książki napisane przez mężczyzn. Chłopcy polepszają znacznie umiejętności językowe w wieku około czterech, pięciu lat, pomimo że standardowe testy nadal wykazują różnice pomiędzy mężczyznami i kobietami w szkole średniej.

W międzyczasie jednakże:

Zwiększ głośność. Nie ma potrzeby na łagodne gruchanie. Gadaj jak najęta. Bardzo prawdopodobne jest, że zostaniesz wynagrodzona głębokim szczerym śmiechem, kiedy twój syn dostroi się do twoich wygłupów.

Przyzwyczajaj się do czytania na głos twojemu synowi. Dzieci już w wieku ośmiu miesięcy potrafią rozpoznać sekwencje w historyjkach czytanych im często i regularnie. Uczyń swoje dziecko bohaterem tych opowieści.

Zafunduj mu nauczanie indywidualne. Twój syn może potrzebować więcej okazji do przyswojenia języka niż dziewczynka. Jeśli twój syn chodzi do żłobka, upewnij się czy opiekunki poświęcają mu odpowiednio dużo czasu.

Śpiewaj piosenki. Naucz się najwięcej piosenek dla dzieci ile tylko zdołasz. Wymyślaj własne słowa. Używaj rymów. Powtarzanie pomaga dziecku w nauce. Recytowanie wierszyków dostarcza chłopcom okazji do nieświadomego używania języka. Nic dziwnego, że hałaśliwe rymowanki i piosenki z odgłosami zwierząt czy dźwiękami jak „bam" i „bum" są największymi hitami! *Ogranicz telewizję i bajki na DVD.* Dzieci uczą się słów słuchając ludzi a nie telewizora. Badania wykazały, że dzieci, które uczyły się słowa w bezpośrednim kontakcie z rozmówcą, potrafiły lepiej dopasować słowo do danego przedmiotu niż dzieci uczone za pomocą filmu. Nie obwiniaj się za różnice w rozwoju języka pomiędzy twoim synem a jego kuzynką. Niektórzy twierdzą, że mówimy więcej do dziewczynek, ponieważ są bardziej towarzyskie. Jednak w rzeczywistości naukowcy odkryli, że ilość czasu jaką poświęcasz na mówienie do twojego syna jest taka sama jak ilość czasu, którą spędziłaś mówiąc do córki.

Mały człowiek w ruchu

W pierwszym roku swojego życia mały chłopiec nauczy się poruszać i używać swojego ciała. Początkowo, jego ruchy są po prostu niekontrolowanymi odruchami z jakimi się urodził. Z upływem czasu nauczy się świadomego poruszania częściami ciała, a większość chłopców osiąga tę fundamentalną umiejętność wcześniej niż dziewczynki w tym samym wieku. Chłopiec może wcześniej podnosić główkę, wcześniej zacząć raczkować i stać z podtrzymaniem oraz wcześniej zacząć chodzić.

Zapytaj większość matek, a powiedzą ci, że wielu chłopców jest aktywnych od samego początku. Eileen, pacjentka poradni ginekologicznej, będąc w ciąży z drugim synem, wspominała, że od chwili kiedy poczuła pierwsze ruchy swojego dziecka, poruszało się ono *cały dzień!*

„Ma teraz trzy latka i aż do dzisiaj wciąż kręci się jak dzień długi i szeroki. Nawet śpiąc czy bawiąc się, stale się wierci!", zauważa Eileen.

Badania to potwierdzają! Niemowlęta płci męskiej są bardziej aktywne niż ich rówieśniczki i potrzebują więcej przestrzeni dla swojej aktywności. To odkrycie nie zmienia się z czasem. Co więcej, różnica w aktywności pomiędzy obiema płciami wzrasta z wiekiem. Tej właśnie różnicy zawdzięczamy podwyższoną potrzebę eksploracji większych przestrzeni u chłopców oraz ich zadowolenie z utrzymanego dystansu pomiędzy nimi a tobą.

✦ **CHŁOPIĘCE FAKTY** ✦

Plan poruszania się

Ogólnie, dzieci zaczynają rozwijać swoje umiejętności motoryczne zaczynając od środkowej części ciała do zewnętrznej oraz od głowy do kończyn. Twój syn nauczy się kontrolować ruchy głowy i szyi zanim zacznie świadomie poruszać rękoma. Następnie nauczy się poruszać ramionami zanim rozpocznie poruszać palcami.

Więcej na temat ruchu: jak on dotyka nosa?
To nie jest takie proste!
Mózg kontroluje wszystkie dowolne ruchy ciała. Kora ruchowa twojego syna, umiejscowiona w tylnej części płata czołowego, jest obszarem mózgu odpowiedzialnym za kontrolę świadomych ruchów twojego dziecka.

Kora ruchowa twojego syna otrzymuje informacje od innych części mózgu. Dziecko musi wiedzieć, gdzie znajduje się jego ciało, musi pamiętać, że chce dotknąć swojego nosa oraz musi rozwinąć odpowiednią strategię do osiągnięcia celu – poruszyć ręką. Każde z tych zadań jest kierowane przez różne ośrodki w mózgu. Aby rozmieścić sprawnie części swojego ciała, twój syn potrzebuje wewnętrznego centrum kontroli, które może precyzyjnie regulować sekwencje i trwanie jego ruchów. Takim centrum kontroli jest móżdżek.

Chłopięce opowieści

John, student pielęgniarstwa, ma dwóch synów, trzyletniego oraz jedenastomiesięcznego chłopca. Zafascynowany zachowaniem młodszego syna opowiadał nam jak Marty używa swojego taty jako obiektu gimnastycznego. Marty jest na etapie, kiedy po przejściu paru kroków pada, raczkuje, po czym wstaje, aby ponownie zrobić kilka kroków. Zawsze gdy Marty jest w pokoju, przemieszcza się w stronę taty, który zazwyczaj siedzi na krześle lub kanapie. Kiedy już tam dotrze, malec wstaje, wpada (celowo) na tatę i przeczołguje się nad jego nogami zanim znów zacznie swoją wędrówkę po pokoju.

Już w młodym wieku mały spryciarz odkrył, że jego starszy brat jest akceptowalną alternatywną, kiedy taty nie ma w pobliżu. Nie ma znaczenia, kto jest jego przyrządem gimnastycznym. Malec uwielbia kontakt fizyczny oraz wyzwania, jakie musi podjąć, aby odkryć jak skoordynować ruchy potrzebne do pokonania jego ulubionych ludzkich przeszkód.

Twój syn najprawdopodobniej będzie w stanie koordynować funkcje ruchowe mózgu wcześniej niż dziewczynka w tym samym wieku. Może zacząć wcześniej chodzić i może prześcignąć ją w bieganiu i skakaniu. Naukowcy sądzą, że może być to powiązane z jego silniejszymi umiejętnościami wizualno-przestrzennymi (zajmiemy się nimi w następnym rozdziale). Pomimo tych zdolności, części mózgu odpowiedzialne za umiejętności motoryczne rozwijają się wolniej u większości chłopców. Twój malec może być w stanie przeskoczyć przeszkodę, ale będzie miał trudności w utrzymaniu ołówka czy wyciągnięciu chrupka.

Pamiętaj, twój syn będzie rozwijał się w swoim własnym tempie. Może zacząć raczkować wcześniej niż chłopcy w jego grupie w żłobku. Potem zaś może pozostać na czworakach, kiedy jego koledzy zaczną dreptać na dwóch nogach. Pomimo iż istnieją różnice rozwojowe pomiędzy płciami, w obrębie jednej płci również znajdujemy wiele rozbieżności. Chwilowo, kroki milowe w rozwoju ruchowym dziecka są dla jego rodziców wymiernymi wskaźnikami procesów zachodzących w mózgu. Rzadko kiedy rodzice nie czują skrycie dumy lub rozczarowania kiedy porównują umiejętności motoryczne swojego dziecka ze zdolnościami jego rówieśników.

Chłopięce opowieści

Harry i Beth mają trzech dorosłych synów. Beth została zaproszone na przyjęcie „przedurodzinowe" przyszłej mamy drugiego dziecka. Gospodyni poprosiła, aby każda z pań dała joj w prozoncie radę. Beth przypomniała jej, że nawet jeśli będzie miała drugiego syna, nie powinna liczyć na to, że będzie taki sam jak jego starszy brat. Opowiedziała o swoich dwóch synach.

Najstarszy, Aaron, późno zaczął chodzić, aż do siedemnastego miesiąca lubił raczkować i wolał by rodzice nosili go na rękach. Anthony, jej drugi syn, był całkowicie różny od brata. Pewnego dnia Beth odwróciła się i ujrzała trzynastomiesięcznego synka, który właśnie obudził się z drzemki, stojącego w samej pieluszce na podłodze w kuchni. Zapytała Harry'ego czemu nie ubrał dziecka. Jednak Harry nie przyniósł Anthony'ego do kuchni ani nie obudził go z jego drzemki. Wtedy właśnie uświadomili sobie, że muszą zrobić coś z łóżeczkiem Anthony'ego. Ich młodszy syn wstał samodzielnie, wydostał się z łóżeczka i pomaszerował do kuchni uprzednio zdjąwszy ubranie.

Zabawy dla chłopców rozwijające zdolności motoryczne
Czy możliwe jest wspomożenie rozwoju motorycznego twojego syna? Sprawdź sama.
Bezpieczna przestrzeń. Pozwól dziecku bawić się w miejscu
bezpiecznym i nieograniczonym. Potrzebuje więcej przestrzeni na
poruszanie się.
Bezpieczna przestrzeń raz jeszcze. Kiedy twój syn przejdzie
od raczkowania i chodzenia do wspinania się, odkryje nowe
miejsca i przedmioty oraz więcej sposobów na wpakowanie się
w kłopoty. Nie będzie chciał słyszeć „nie" za każdym razem jak
się poruszy, a ty na pewno nie chcesz tego ciągle powtarzać.
Nie ułatwiaj mu zadania, dostarcz mu wyzwań. W przeciwieństwie do małych dziewczynek, które łatwo płaczą z frustra-
cji, twój syn będzie lepiej się uczył, kiedy niski poziom stresu
zostanie dopasowany do jego potrzeb.
Bądź cierpliwa. Powtarzanie wcale nie jest nudne dla twojego
dziecka!
Nie spiesz się. Tak, łatwiej jest zapakować dziecko w wózek
czy nosidełko, niż gonić po całym sklepie czy spędzić trzy minuty
gapiąc się na biedronkę na chodniku, po to tylko, by po kilku
krokach znaleźć kamień, który trzeba kopnąć w przeciwną stronę. Jednak pozwól mu spędzać spokojnie czas na odkrywaniu
świata. Gdyby mógł, podziękował by ci za to, że go nie popędzasz.

Twój syn i jego penis

Kiedy twój syn odkryje swoje dłonie, zacznie nimi obracać,
machać przed oczami i zaciskać, będzie to krok milowy w jego
rozwoju warty zanotowania w dzienniczku dziecka. Dla większości matek, jednakże, odkrycie penisa jest nieco bardziej krępujące
i nie jest zazwyczaj traktowane jako warte oficjalnego udokumen-
towania.

Erekcje niemowlęce
Normalnym jest, że twój syn będzie odkrywał swoje ciało, a jego penis z pewnością pobudzi jego ciekawość. Będzie sięgał do penisa za każdym razem, kiedy będzie miał okazję, zwłaszcza podczas przewijania czy kąpieli. Nie wygrasz tej bitwy. Ku przerażeniu wielu matek i ku jego własnemu zadowoleniu będzie miał niewielkie niemowlęce erekcje. Matki są zakłopotane. Czy powinnam go powstrzymać, czy nie?

Ten rodzaj erekcji jest normą. Twój mały chłopiec może ich doświadczać kilkakrotnie w ciągu dnia, i jak każdy mężczyzna wie, również jako dorosły. Często jego niewielka erekcja będzie spowodowana pełnym pęcherzem, zatem jeśli zauważysz erekcję podczas zmiany pieluszki, będziesz mogła nakryć jego siusiaka pieluszką czy ściereczką, żeby uniknąć ciepłego prysznica prosto w oczy!

Tak samo jak twój syn odkrył przyjemność w łapaniu się za stopy, wkrótce odkryje, że łapanie się za penis jest równie dobre. Do czasu aż wyrośnie z niemowlęctwa, może dojść do wniosku, że łapanie się za siusiaka jest lepsze niż ciągnięcie za palce u nóg, i będzie robił to dość często. Nie jest to masturbacja, tylko odkrywanie ciała. A dla niektórych dzieci zachowanie to może mieć uspokajające działanie, podobne do ssania kciuka. Jeśli posunie się z tym za daleko, nadejdzie czas, aby porozmawiać z nim o tym, co jest odpowiednie na osobności, a o tym, co mogą oglądać inni.

To, czy twoje dziecko może doprowadzić się w ten sposób do orgazmu pozostaje w sferze spekulacji. Wytrysk, jednakże, nie pojawi się aż do okresu dojrzewania, kiedy nastąpi trzecie uderzenie testosteronu.

Obrzezać czy nie
Jako rodzic małego chłopca masz zapewne wiele pytań na temat penisa.

Jednym z zagadnień, jakie napotykają rodzice w Stanach Zjednoczonych jest kwestia obrzezania. W amerykańskich szpitalach rodzice często są proszeni o podjęcie odpowiedniej decyzji. Istnieje wiele socjalnych, kulturowych i religijnych argumentów za oraz przeciw obrzezaniu. Możecie czuć presję otoczenia – rodziny, znajomych czy mediów. Debata nad medyczną wartością obrzezania ciągle trwa. Z jednej strony, Amerykańska Akademia Pediatrii (American Academy of Pediatrics, AAP) chociaż uznaje potencjalne medyczne korzyści wynikające z obrzezania, nie poleca wykonywania rutynowych zabiegów obcięcia napletka.

Z drugiej strony, badania wykazały, że obrzezani chłopcy rzadziej cierpią z powodu infekcji pęcherza i nerek, są w mniejszej grupie ryzyka przy zarażeniu wirusem HIV czy innymi chorobami przenoszonymi drogą płciową, i zdecydowanie rzadziej zapadają na raka penisa (bardzo rzadka odmiana raka).

Praktyka obrzezania noworodków, chociaż nie wymagana z medycznego punktu widzenia, jest zabiegiem bezpiecznym z małym ryzykiem powikłań. AAP rozpoznaje następujące czynniki wpływające na podjęcie decyzji o obrzezaniu:

- **Religia.** Dla Żydów, obrzezanie jest religijnym obowiązkiem i tradycją wynikającą z kultury. Muzułmanie również praktykują obrzezanie, chociaż nie jest ono postrzegane jako przykazanie proroka.
- **Tradycja.** Jeśli ojciec dziecka jest obrzezany, może chcieć, aby jego syn również został poddany zabiegowi, aby uniknąć w przyszłości pytań dlaczego jego penis wygląda inaczej. Jako że większość mężczyzn w Stanach Zjednoczonych jest obrzezana, ten czynnik ma największy wpływ na podjęcie powyższej decyzji.
- **Higiena.** Odpowiednie mycie nieobrzezanego penisa wymaga odsunięcia napletka i delikatnego oczyszczenia żołędzi. Niektórzy rodzice obawiają się, że ich syn może zaniedbać stosowne zabiegi higieniczne.

Niektórzy przeciwnicy obrzezania twierdzą, że współżycie seksualne jest lepsze zarówno dla kobiety jak i mężczyzny, kiedy jego penis nie został obrzezany. Trudno wyobrazić sobie, jak można to udowodnić! Seksualność polega na czymś więcej niż połączeniu penisa (obrzezanego lub nie) z pochwą.

Jak z każdym zabiegiem chirurgicznym skonsultuj się z lekarzem, aby ocenił ryzyko i korzyści wynikające z procedury obrzezania zanim podejmiesz decyzję.

Higiena

Mycie penisa? Większość matek mających syna po raz pierwszy boi się, że może zranić swoje dziecko. Doświadczone mamy zapewniają, że usuwanie uporczywych kłaczków i kawałków gazy przyczepiających się do penisa nie jest bolesnym doświadczeniem i wyjaśnią ci, że z chwilą, gdy twój syn będzie w stanie usiąść samodzielnie w wanience, jego penis stanie się ulubioną zabawką w kąpieli.

 Chłopięce opowieści

Podczas lunchu, Suzie, matka trzech córek, zapytała inne matki przy stole: „Kiedy chłopcy zaczynają odkrywać swoje penisy?" co wzbudziło salwy śmiechu u pozostałych matek, jako że każda miała historie do opowiedzenia.

Diane zapewniła, że jej syn Ethan odkrył swojego penisa już drugiego dnia. Opowiedziała, jak kilka lat później, znalazła Ethana, przedszkolaka, w jego pokoju z młodszym, osiemnastomiesięcznym braciszkiem. Żaden z nich nie miał na sobie majtek. Ciągnęli się za swoje siusiaki i rozciągali moszny. Tak spokojnie jak to było możliwe Diane zapytała ich co robią. Ethan popatrzył na nią i wyjaśnił: „Bawimy się w latające wiewiórki. Pobawisz się z nami?"

Diane odmówiła.

Kilka słów dla matek

Matki i ojcowie wchodzą w odmienne interakcje ze swoimi dziećmi. Mamy mają tendencje do ograniczania i uspokajania małych chłopców, co jest idealnym rozwiązaniem dla zmęczonego malca, ale niezbyt dobrym dla rozbrykanego gościa. Tatusiowie wolą rozrabiać ze swoimi synami. Są głośni. Pedałują małymi nóżkami w powietrzu, wieszają dzieci do góry nogami, szturchają i ogólnie mówiąc dostarczają wielu atrakcji. Jest to dobra równowaga dla chłopca, który może rozwijać dzięki takim rodzajom interakcji.

Pamiętacie Emily, mamę Caleba, Ethana i Hannah? Teraz, kiedy dorastają, chłopcy potrzebują coraz mniej czułości ze strony Emily, a coraz więcej aktywności. Najbardziej hałaśliwe koleżanki ich siostry rzadko wyrażały swoją energię w sposób równie gwałtowny co chłopcy. W ciągu następnych kilku lat razem z Emily nauczycie się więcej na temat odgłosów ciała, dźwięków pojazdów i zapasów niż chciałybyście wiedzieć.

W następnym rozdziale przedstawimy więcej informacji na temat fizycznej aktywności małych chłopców. Nie martw się jednak. Twój syn zawsze będzie potrzebował szczególnej więzi was łączącej. Będzie obchodził wasze łóżko, przechodząc nad tatą, ponieważ to ciebie będzie potrzebował, abyś go utuliła i uspokoiła kiedy będzie miał zły sen.

Patrząc w przyszłość: małe dziecko i przedszkolak

Jeśli jesteście podobni do innych rodziców, nie będziecie wiele pamiętać z pierwszego roku życia waszego syna. Szczegóły jego pierwszego uśmiechu, pierwszych kroków i pierwszych słów są ulotne i zatrą się w pamięci podobnie jak nieprzespane noce i napięte, zapracowane dni. Przed końcem jego pierwszego roku, jednakże, opanujesz do perfekcji karmienie i zmienianie pieluszek. Będziesz miała okazję być świadkiem niezwykłej transformacji – przemiany twojego syna z bezradnego i uzależnionego od ciebie niemowlęcia w poruszające się, mówiące i pamiętające małe dziecko. Będzie zajęty, będzie ciekawski, będzie małym człowiekiem w ciągłym ruchu.

✦ CHŁOPIĘCE FAKTY ✦
Rozrośnięty mózg

Przy narodzinach, twój syn posiada wszystkie potrzebne mu kiedykolwiek neurony w korze mózgowej. Jednak nie są one połączone ze sobą w dobrym stopniu. W ciągu dwóch pierwszych lat życia jego, połączenia pomiędzy neuronami rozrosną się w szalonym tempie. Czasami, twój syn będzie tworzył połączenia z prędkością dwóch milionów na minutę! Nic dziwnego, że naukowcy nazywają ten okres bujnym rozwojem mózgu.

Jak dotrzymasz kroku temu błyskawicznie zmieniającemu się chłopcu? Ten rozdział poprowadzi cię, albo raczej przeciągnie w błyskawicznym tempie, przez zagadnienia dotyczące rozwoju motorycznego, językowego, poznawczego i emocjonalnego małego chłopca poczynając od wieku poniemowlęcego do lat przedszkolnych. Damy ci przedsmak tego, co cię czeka, ponieważ w przysłowiowym mgnieniu oka zanim się obejrzysz będziesz robić zdjęcia, jak twój syn wyekwipowany w plecak z ulubionym superbohaterem wyruszy na spotkanie szkoły podstawowej.

Krótkie wprowadzenie w rozwój umysłowy małego dziecka oraz przedszkolaka

Kiedy twój syn się urodził, większość neuronów w jego mózgu znajdowała się tam gdzie powinna się znajdować, zaś te, które do tej pory nie znalazły swojego miejsca, nadrobiły to w ciągu pierwszego roku. Jednak komórki te nie wiedziały jeszcze jak porozumiewać się między sobą.

W ciągu pierwszych lat swojego życia, twój syn będzie pracował nadliczbowo, aby utworzyć połączenia (synapsy) pomiędzy neuronami. Do drugiego roku życia będzie miał trzy tryliony synaps, znacznie więcej niż będzie kiedykolwiek potrzebował. Natura energicznie zmniejszy liczbę synaps, jakich twój syn nie będzie potrzebował przed jego pójściem do szkoły. Nie musisz się tym martwić, ponieważ jest to naturalny proces. Każdy z neuronów może utworzyć piętnaście tysięcy synaps. Niektóre z nich są tylko próbnymi połączeniami i w miarę jak twój syn robi się coraz lepszy w danej umiejętności, nie będzie wymagał wszystkich piętnastu tysięcy, aby ukończyć zadanie lub rozwiązać problem. Jego mózg jest nastawiony, aby zostawić tylko te połączenia, które są naprawdę niezbędne do prawidłowych reakcji. Bez redukcji zbędnych synaps twój syn nie byłby w stanie chodzić lub mówić należycie. W końcu jego mózg stanie się szczuplejszy, skromniejszy i efektywniej funkcjonujący, w sam raz dla małego mężczyzny.

Tworzenie połączeń

Synapsy w mózgu małego chłopca czeka ciężka walka o przeżycie. W klasycznym przykładzie „używaj albo wyrzuć", niektóre z połączeń neuronowych zostaną odcięte z braku użyteczności. Nie mając określonego celu czy przypisanego zadania, synapsa zanika. Tworzenie nadmiaru połączeń jest biologicznym procesem; jednak jako rodzice możecie w pewien sposób wpłynąć na to, jaki wkład otrzymują neurony, jakie ścieżki zostają utworzone, a które zignorowane. Dostarczając dziecku rozmaitych bodźców – motorycznych, sensorycznych i poznawczych – dajecie jego synapsom materiał do pracy i większą szansę na przetrwanie.

Genetyczny projekt waszego syna odpowiada za podstawowe połączenia w jego mózg i sposób jego dojrzewania. Otoczenie, jakie mu zapewniacie, wpływa na możliwość interakcji z genetycznym zaprogramowaniem. Doświadczenie jest odpowiedzialne za dostrojenie genetycznie zaprojektowanych połączeń, pomagając chłopcu zaadaptować się do określonego środowiska, czyli ludzi z którymi mieszka, rodziną, z którą się spotyka czy tożsamością kulturową. Plastyczność mózgu jest określeniem używanym przez neurobiologów, żeby opisać w jaki sposób organizacja mózgu waszego syna zostaje zmodyfikowana przez doświadczenie.

Zdajemy sobie sprawę, że jesteście bombardowani informacjami jak zmaksymalizować wpływ środowiska na połączenia w mózgu waszego syna, szczególnie zaś przez ogłoszenia, które gwarantują wam mądrzejsze dziecko, jeśli tylko użyjecie ich nagrań, książek czy skorzystacie z wczesnego programu nauczania. W rzeczywistości nie istnieje żaden program, który zwiększy to co kochający i odpowiedzialni rodzice mogą dać swojemu dziecku. Wy i wasza rodzina jesteście idealnym otoczeniem dla genów waszego syna. Dajcie chłopcu dużo okazji do odkrywania świata, pilnujcie jego bezpieczeństwa i otoczcie go wsparciem i miłością. Pozwólcie mu słuchać jak śpiewacie i mówicie, wychodźcie z nim na spacery, by poczuł wiatr i słońce na twarzy, dajcie mu odkryć wszystkie robaki i owady w ogródku, a zapewnicie mu naturalną stymulację mózgu jakiej potrzebuje.

Lewa – prawa

Przez pierwsze lata życia twojego syna, dwie półkule jego mózgu będą rozwijać się w różnym tempie. Energia malucha skoncentruje się na rozwoju lewej półkuli, ośrodku mowy oraz zdolności logicznych i matematycznych. W miarę rozwoju mózgu, twój syn będzie demonstrował niezmiernie skomplikowane zachowania i wykaże postępy w umiejętnościach poznawczych.

Do czasu rozpoczęcia nauki w szkole prawa półkula mózgu twojego chłopca będzie pozostawała w tyle za lewą, jeśli chodzi o intensywny rozwój. Chociaż zaczyna się rozwijać dopiero w okolicach siódmych urodzin, nie znaczy to, że jest kompletnie ignorowana. Nowe połączenia rozwijają się w ciele modzelowatym, spoidle wielkim mózgu łączącym ze sobą obie półkule. Niektóre badania wykazują, że kształt, gęstość i rozmiar spoidła twojego syna są przeciętnie mniejsze niż u jego rówieśniczki. Naukowcy uważają, że przez tę różnicę chłopcy mają więcej trudności z wielozadaniowością niż wiele dziewcząt oraz są opóźnieni w opanowywaniu umiejętności w porównaniu z dziewczynkami w ich wieku. W dalszej części rozdziału wyjaśnimy, w jaki sposób różnica ta wpływa na zachowanie oraz rozwój chłopca.

✦ CHŁOPIĘCE FAKTY ✦

Paliwo dla wzrostu

Praca jaką wykonuje mózg niemowlęcia i małego chłopca wymaga sporej ilości paliwa, zatem w ciągu pierwszych czterech lat jego życia będzie zużywał dwa razy więcej od ciebie glukozy, podstawowego źródła energii ludzkiego organizmu, w swojej korze mózgowej. Nie martw się, nie musisz pędzić do apteki i kupować glukozę. Twój syn otrzyma wszystkie niezbędne składniki trawiąc cukier i skrobię zawarte w twoim pokarmie lub mleku modyfikowanym oraz w pokarmach jakie wprowadzasz do jego jadłospisu.

Rola otoczki mielinowej

Proces tworzenia synaps nie jest jedynym, który obecnie ma miejsce w mózgu twojego syna. Twój malec przyszedł na świat wyposażony w niezbędne komórki nerwowe, jednak posiadał zbyt mało mieliny, gęstej substancji pokrywającej włókna nerwowe – izolacji nerwowej otaczającej elektryczny przewód.

Mielina pomaga twojemu dziecku efektywniej przekazywać wiadomości z jednej komórki nerwowej do drugiej. Z ograniczoną ilością mieliny, mały chłopiec potrzebuje więcej czasu na wykonanie wielu czynności niż jego starszy kolega. Dlatego właśnie twój syn reaguje z opóźnieniem na twoją prośbę o zaprzestanie wylewania soku z kubeczka. Wiadomość musi być usłyszana oraz zinterpretowana, by mózg mógł zareagować. To wymaga dużego przepływu informacji, a połączenia neuronowe jeszcze nie reagują natychmiastowo. Proces tworzenia otoczki mielinowej wymaga wiele czasu zanim zostanie sfinalizowany. Zaczyna się teraz i będzie trwał nawet do czasu ukończenia studiów przez twojego syna, pomimo że jego koleżanki mogły już dawno zakończyć ten proces.

Chłopięce opowieści

Glenn i Lynn są dumni ze swojego dwudziestotrzymiesięcznego synka Charliego, którego repertuar umiejętności wciąż się powiększa. Co wieczór Charlie wydaje specjalne pobieżne streszczenie dnia kiedy rodzice układają go do snu w jego „dorosłym" łóżeczku. Charlie zaczyna mówić dobranoc: „Dobranoc, mamo, dobranoc, tato, dobranoc, wagonie, dobranoc, piesku, dobranoc, lizaku, dobranoc, przyczepo, dobranoc, samochodzie, dobranoc, kaszko, dobranoc, masło orzechowe".

Najgwałtowniejszy etap tworzenia otoczki mielinowej trwa w ciągu pierwszych dwóch lat życia twojego syna. Wysoki procent tłuszczu tworzący otoczkę mielinową (80 procent) jest powodem, dla którego nie powinno się ograniczać spożycia tłuszczu w ciągu pierwszych dwóch lat. Pediatrzy zalecają dietę, w której 50 procent kalorii pochodzi z tłuszczów. Pełnomleczne produkty są doskonałym źródłem tłuszczu dla twojego dziecka. Po ukończeniu dwóch lat, jednakże, spożycie tłuszczu powinno być ograniczone do 25 – 30 procent kalorii.

Przenosząc góry: więcej na temat małego człowieka w ruchu

Od pierwszego momentu, kiedy twój syn przesunął się przypadkowo blisko brzegu łóżeczka przekręcając się na plecy, rzucił się na czworakach w kierunku jeździka czy podreptał na trzęsących się nóżkach w stronę psa, pracował w celu odkrywania otaczającego go świata. Nadejdą dni, kiedy twój syn będzie niewytłumaczalnie marudny. Nazajutrz lub kilka dni później zacznie chodzić, biegać czy wchodzić po schodach. Jego marudny nastrój jest przygotowaniem na następny krok w zdobywaniu umiejętności motorycznych. Świat twojego dziecka się rozszerza.

Jego umiejętności motoryczne

Przeciętnie, w wieku około dwóch lat, niektórzy chłopcy mogą osiągnąć 50 procent wzrostu dorosłego. Twój syn osiągnie ten wzrost później niż przeciętna dwudziestomiesięczna dziewczynka. Równie później rozpocznie się u niego okres dojrzewania i później przestanie rosnąć. Ostatecznie jednak, twój syn i jego koledzy będą prawdopodobnie znacznie silniejsi i więksi niż ich rówieśniczki.

Chłopięce opowieści

Jenna zadzwoniła do swojej siostry po powrocie z zebrania z przedszkola swojego syna Tommy'ego. Cała była we łzach. Wychowawczyni Tommy'ego była zdenerwowana i sfrustrowana, a na zebranie zaprosiła dyrekcję przedszkola. Powiedziała Jennie, że nie daje rady uspokoić Tommy'ego. Chłopiec ciągle musi robić coś ze swoimi rękoma. Kiedy dzieci siedzą w kole, on miętosi spodnie albo kręci się dokoła własnej osi, buja się do przodu i do tyłu aż wpadnie na któreś z dzieci siedzące obok. Wydaje się, że Tommy spędza coraz więcej czasu na ławeczce przed gabinetem dyrekcji.

Twojemu synowi może zająć więcej czasu rozbudowa jego ciała, ale obserwując dzieci na placu zabaw czy w przedszkolu zauważysz, że chłopcy w zabawie używają więcej swojego ciała niż bawiące się obok dziewczynki. Badania na przedszkolakach wykazały, że 65 procent chłopców kontra 12 procent dziewczynek zostało ocenione jako aktywne bądź nadmiernie aktywne.

Świat przepychanek i głośnych zabaw

Możesz oczekiwać, że twój syn będzie ruchomym przypadkiem. Znacznie więcej chłopców niż dziewczynek angażuje się w głośne zabawy i przepychanki. Twój malec będzie zajmował więcej przestrzeni do zabawy niż jego kuzynka i więcej czasu spędzi testując granice odporności zarówno własnego ciała jak przedmiotów, które kończą swój żywot połamane bądź popsute na podłodze. Postaw wieżę z klocków pomiędzy małą dziewczynką a rzeczą, którą chce dostać, a ona obejdzie przeszkodę. Jeśli nie będzie w stanie, może zawołać lub zapłakać, aby zwrócić na siebie uwagę osoby stojącej najbliżej. Czy możemy powiedzieć to samo o małym chłopcu? Mając przed sobą przeszkodę z klocków, prawdopodobnie zburzy ją i pójdzie prosto nie pozwalając, aby cokolwiek stało pomiędzy nim a przedmiotem jego pożądania.

Rozwój umiejętności motorycznych następuje w specyficzny sposób w okresach poniemowlęcym i przedszkolnym, a także różnicuje się w granicach płci. Różnice te wynikają z układu budowy mózgu. Po raz kolejny stare powiedzenie, że dziewczynki dojrzewają wcześniej od chłopców, jest prawdą. System nerwowy, który powoduje rozwój umiejętności motorycznych, osiąga pełną dojrzałość o rok później u chłopców niż u dziewcząt.

Czas potrzebny do rozwoju układu nerwowego kontrolującego motorykę nie jest jedyną różnicą dzielącą chłopców od dziewcząt. Naukowcy używając funkcjonalnego magnetycznego rezonansu jądrowego przyglądają się chłopcom i dziewczynkom wykonującym tę samą czynność, powiedzmy rzut piłką. Odkrywają, że chłopcy i dziewczynki używają różnych części mózgu podczas wykonywania identycznych działań.

Chłopięce opowieści

Tiffany zabrała swojego pięcioletniego syna Carlosa na spacer do lasu. Jedno z drzew złamało się i spadło w poprzek małego strumienia. Carlos błagał mamę, aby pozwoliła mu przejść po drzewie na drugą stronę. Tiffany jako opiekuńcza mama była niechętna temu pomysłowi, ale wiedziała, że musi pozwolić synowi odkrywać samodzielnie świat, więc wyraziła zgodę.

Carlos powoli przeszedł na drugą stronę, ale powrócił do mamy w nieco szybszym tempie. Powtórzył kilkakrotnie zabawę, za każdym razem zwiększając prędkość. Po paru próbach był w stanie przebiec po drzewie. Wieczorem wyznał mamie, że był to najlepszy dzień w jego życiu, zapewniając ją, że był nawet lepszy od jego urodzin.

Twój syn jest zbudowany do aktywności. Będzie testował limity swojej fizycznej siły. Będzie ćwiczył, aż jego mózg dojrzeje i nawet wtedy będzie ćwiczył aż osiągnie zadowalający go rezultat.

Twój syn może być prawdziwym żywiołem, poruszając się więcej niż ty, lub jego wychowawczyni w przedszkolu by sobie tego życzyła. Jednak kiedy skończy zabawę, to definitywnie. Tak szybko jak rozpoczyna się poruszać, może z łatwością zwolnić. Jego męski mózg jest nastawiony, aby przegrupować się po wybuchach energii w stan, który neurobiolodzy określają jako stan spoczynku.

Co robić z całą tą energią małego chłopca?

Oto co możesz zrobić, aby ukierunkować energię swojego dziecka:

- **Idźcie na plac zabaw.** Miejsce wypełnione olbrzymimi zabawkami kusi naturalną żywiołowość dziecka, rzuca wyzwania jego możliwościom i wychodzi naprzeciw jego potrzebie przygody i niebezpieczeństwa.

- **Weźcie piłkę.** Toczenie, kopanie, rzucanie pomoże rozwinąć zmysł równowagi i koordynacji ruchowej.

- **Zgromadź poduszki na podłodze.** Pozwól mu skoczyć z kanapy na miękkie podłoże. Twój syn będzie chciał skakać tak czy inaczej, a ty równie dobrze możesz mu zapewnić miękkie lądowanie.

- **Bawcie się w przeciąganie kocyka.** Twój syn pokocha rywalizację z tobą, a ty możesz go potem przytulić.

- **Śpiewaj piosenki z pokazywaniem ruchów**.

Matki małych chłopców zdają sobie sprawę, że odkrywanie świata i przepychanki mają swoją cenę. Twój syn będzie prawdopodobnie cały w siniakach, kiedy będzie skakał, kroczył i rozbijał się przez najbliższe pierwsze lata swojego życia. Ten rodzaj zabawy pomaga rozwinąć płat czołowy mózgu, obszar odpowiedzialny

Chłopięce opowieści

Erin zaplanowała przyjęcie urodzinowe swojego czteroletniego syna Jasona w ten sam sposób co urodziny jego starszej siostry, Rachel. Ponieważ oboje chodzili do tego samego przedszkola oczekiwała identycznego poziomu kooperacji i uwagi ze strony Jasona oraz pięciu kolegów, których zaprosił na przyjęcie. Ku jej rozgoryczeniu, chłopcy przerobili wszystkie zaplanowane zabawy w rekordowym czasie i spędzili resztę imprezy kotłując się na podłodze jak małe wilczki, podczas gdy Erin i jej mąż Jeremy próbowali upilnować chłopców, żeby nie uszkodzili się nawzajem. Po tym jak ostatni z rodziców przyszli odebrać swojego syna, wykończeni Erin z Jeremym ustalili, że następne urodziny Jasona urządzą w sali gimnastycznej.

za regulowanie zachowania. Uważa się także, że zabawa pomaga rosnąć i rozwijać się synapsom w mózgu oraz zwiększa prędkość, z jaką przesyłane są informacje pomiędzy mózgiem twojego syna a resztą układu nerwowego. Jest to ważne w przygotowaniu dziecka do pójścia do przedszkola. Spokojne siedzenie i oczekiwanie na swoją kolej, jednakże, nie znajdzie się jeszcze w repertuarze twojego syna.

Piękna główka twojego syna często przyjmuje na siebie ciężar uderzeń, ale na szczęście jego większa męska czaszka jest wypełniona większą ilością płynu mózgowo-rdzeniowego niż czaszka dziewczynki. Dodatkowa ilość płynu może chronić mózg przez skutkami uderzeń w drodze do ukończenia rozwoju motorycznego.

Chłopięce opowieści

Breda martwiła się przed zapisaniem jej dwudzie-stoszesciomiesięcznego syna Ariego do żłobka. Kiedy Breda wróciła do pracy po urlopie macierzyńskim, Ari przebywał w domu pod opieką babci. Jego energia i żywiołowość wzrastały w miarę jak opadały możliwości ruchowe babci. Nadszedł czas, aby zapisać Ariego do żłobka i Breda z zadowoleniem zauważyła, że Ari rozwija się bardzo dobrze. Ma już swojego pierwszego przyjaciela, Cartera. Codziennie, chłopcy z entuzjazmem wbiegają do żłobka i pędzą ku sobie na spotkanie. Ku zdumieniu ich rodziców, chłopcy zderzają się głowami, padają na podłogę ze śmiechem, a potem podskakują i ruszają do zabawy. Jest to rytuał, jaki powtarzają co rano.

Umiejętności manualne

Twój syn raczej nie będzie potrzebował wielkiej zachęty, aby wspiąć się na pagórek na podwórku, ale może potrzebować twojego wsparcia i dopingu z okrzykiem „Dobra robota!", kiedy będzie się uczył jak wiązać sznurowadła. Wraz z rozwojem mięśni większych i nauki jak z nich korzystać, twój syn będzie uczył się jak ubrać się samodzielnie oraz wykonać inne zadania wymagające zręczności manualnej. Będzie rozwijał swoje umiejętności używając dłoni do efektywnego manipulowania małymi przedmiotami. Guziki i suwaki mogą się okazać trudne dla małego chłopca. Tak samo jak kolorowanie czy utrzymanie ołówka. Zatem nie popędzaj go, jeśli postanowi zabrać się za jedno z tych skomplikowanych zadań manualnych. Jego dziecięca postawa typu „Ja sam!" może wziąć górę i będziesz musiała stoczyć bitwę za pomocą dłoni, kiedy będziesz chciała zapiąć mu kurtkę!

Istnieją sposoby promujące rozwój umiejętności manualnych twojego syna oraz zachęcające go do spożytkowania jego naturalnych upodobań. Poprzez codzienne czynności rozwijaj umiejętności manualne dziecka:

- **Lukrujcie ciastka.** Jego dekoracje mogą nie nadawać się do programu kulinarnego, ale z przyjemnością pochłonie swoje własne wyroby.
- **Budujcie wieże.** Kiedy jesteście w kuchni, daj mu do zabawy pudełka po margarynie lub płatkach i pozwól mu je ułożyć jedno na drugim. Może robić to samo puszkami, ale upewnij się, że nie ma nikogo w pobliżu, kiedy twój syn postanowi przetestować prawa fizyki sprawdzając jak wysoką wieżę uda mu się zbudować.
- **Otwierajcie pokrywki.** Do odkręcanych pojemników włóż zabawki lub przysmaki i pozwól dziecku odkręcić pokrywkę, aby dostać się do środka.
- **Zjadajcie swoje wyroby.** Malowanie palcem po papierze woskowym przy użyciu ciasta lub budyniu jest kolejnym dobrym sposobem na dostanie się do żołądka małego mężczyzny.
- **Więcej motywacji żywnościowej.** Pozwól swojemu synowi oderwać winogrona z gałązki, daj mu tępy nóż do pokrojenia bananów na sałatkę. Albo pozwól mu posmarować masłem orzechowym jego kanapki.

Rozwój poznawczy małego chłopca

Sposób w jaki twój syn widzi i postrzega świat za pomocą pięciu zmysłów kształtuje sposób w jaki go zapamięta. Twój mały chłopiec będzie używał zmysłów do interakcji z otaczającym go światem. Będzie myślał, interpretował, rozumiał i tworzył wspomnienia każdego ze swoich doświadczeń. Naukowcy nazywają to procesem poznawczym. Umiejętności te obejmują przetwarzanie informacji, rozwój mowy i pamięci. Twój syn zaczyna przypominać sobie wydarzenia z przeszłości, naśladować, wyobrażać sobie i udawać.

✦ CHŁOPIĘCE FAKTY ✦
Różnice w rozwoju umiejętności poznawczych

Podobnie jak istnieje wielka różnica pomiędzy sposobem i czasem rozwijania zdolności poznawczych pomiędzy chłopcami i dziewczynkami, w obrębie jednej płci również zauważalne są dysproporcje. Kiedy zaczynamy testować umiejętności intelektualne dzieci, odkrywamy, że więcej chłopców znajduje się na dole i na górze skali. Więcej chłopców niż dziewczynek cierpi na zdiagnozowane trudności w nauce wynikające z dysleksji, opóźnionego rozwoju mowy czy zespołu nadpobudliwości ruchowej (ADHD) a także więcej chłopców znajduje się w klasach dla utalentowanych i zdolnych dzieci.

Kilka słów na temat zespołu nadpobudliwości ruchowej
Istnieje różnica pomiędzy chłopcem, który odkrywa świat używając swojego chłopięcego mózgu, a chłopcem ze zdiagnozowaną ułomnością. Twój syn jest w ciągłym ruchu i nie zawsze jest w stanie się skoncentrować. Czasami jego impulsywne zachowanie może go wpędzić w kłopoty, kiedy zacznie rozbierać przedmioty na części, aby sprawdzić jak one działają. Być może ktoś z rodziny uczynił uwagę lub opiekunka bądź niania wyraziły opinię, że dziecko jest „nadaktywne". Być może nikt nic nie powiedział, ale zaczynasz się martwić. Czy twój syn jest po prostu małych chłopcem czy dzieje się z nim coś złego?

Zachowanie chłopca waha się, podobnie jak nasze, od spokojnego po szaleńcze. W skrajnej części skali niektóre dzieci są diagnozowane jako cierpiące na zespół nadpobudliwości ruchowej (ADHD). Liczba dzieci, u których zdiagnozowano ADHD, wzrosła drastycznie w przeciągu ostatnich dwudziestu lat. W ciągu ostatniej dekady, recepty na lekarstwa na ADHD wzrosły o 600 procent. Zespół nadpobudliwości ruchowej jest najczęściej

Chłopięce opowieści

Po wieczorze w święto Dziękczynienia, spędzonym z teściami i rodziną męża, Jana zadzwoniła do swojej mamy. Pokłóciła się z rodziną męża z powodu traktowania przez nich jej czteroletniego syna, Hapa. „Powiedziałam im, że nigdy więcej nie pozwolę dziecku przechodzić tego samego!" Jej szwagierka narzekała dwukrotnie w ciągu dwóch dni, że martwi się o bezpieczeństwo jej córki, kiedy kuzyn Hap jest w pobliżu. Zachowanie Hapa, które nigdy niespecjalnie martwiło Janę, znowu stało się tematem głównej dyskusji przy stole. Hap nie potrafił siedzieć spokojnie. Bawił się jedzeniem. Dotykał wszystkich, którzy siedzieli wokół niego. Szwagierka Jany nalegała, żeby ta zabrała syna do psychiatry na badania. „Stanęłam w jego obronie. Powiedziałam im, że to jest zwykły, normalny chłopiec. Taka jestem na nich wściekła!", opowiadała Jana swojej matce. Wiedziała, że z Hapem jest wszystko w porządku. Niemniej jednak zadzwoniła do mamy szukając potwierdzenia.

diagnozowanym zaburzeniem umysłowym wśród dzieci, a chłopcy trzy razy częściej niż dziewczynki są diagnozowani jako cierpiący na ADHD.

Przedszkola i żłobki nie zawsze biorą pod uwagę normalną chłopięcą energię. Jedyny sposób, aby odróżnić naturalne zachowanie chłopca od nadpobudliwości, to profesjonalna dokładna analiza. Jeśli martwisz się o swojego syna, poproś o diagnozę specjalistę. Możesz zacząć od pediatry, choć raczej nie będzie to ostatni etap. Poproś o skierowanie do kogoś, kto specjalizuje się w zaburzeniach dziecięcych zachowań. Większość ekspertów potwierdza, że istnieją sposoby na dokładne zdiagnozowanie ADHD, ale również zgodnie stwierdzają, że może to być kwestią czasu zanim dziecko dorośnie, dojrzeje i uspokoi się.

Skupianie uwagi

Wszyscy chłopcy, niezależnie po której stronie skali intelektualnego i wychowawczego rozwoju się znajdują, wymagają pomocy w skupieniu się i zorganizowaniu ich zachowań. Możesz pomoc swojemu synowi poprzez:

• Proste zasady
• Solidny i stały rytm dnia
• Spędzanie czasu poza domem jako alternatywy dla telewizji i gier komputerowych
• Dużo czasu na przygotowanie się na nadchodzące zmiany
• Poukładany pokój z określonym miejscem na zabawki, ubrania i przybory toaletowe
• Twoje wsparcie, kiedy uda mu się coś poprawnie wykonać.

Wzrok

Twój syn jest typem wzrokowca. Może być bardziej utalentowany w dostrzeganiu niewielkich poruszeń w bezpośrednim zasięgu jego widzenia niż jego kuzynka. Może pokonać większość dziewcząt w pamięciowej grze polegającej na wskazaniu pary obrazków. Jeśli poprosisz go, aby zapamiętał gdzie znajduje się jakiś przedmiot, zrobi to doskonale. Chłopcy prześcigają dziewczynki w zapamiętywaniu rzeczy, które obejmuje bodziec wzrokowy. Jeśli użyjesz słów, aby opisać umieszczenie danego przedmiotu, dziewczynka raczej zapamięta tę informację i prześcignie chłopca. Jednak twój syn będzie w stanie znaleźć ten czerwony samochodzik w swoim pokoju pomiędzy wieloma innymi zabawkami nawet jeśli ty nie masz pojęcia o jakim czerwonym samochodziku on mówi ani gdzie zacząć jego poszukiwania. Natomiast przewiń czas o kilka lat do przodu, a nie dojrzy słoika majonezu stojącego na półce w lodówce dokładnie naprzeciw jego oczu!

Mali chłopcy bardzo interesują się zawartością kuchennych szafek. Mózg twojego syna jest wyspecjalizowany w tworzeniu systemów organizujących otoczenie. Aby zrozumieć szafkę i jej zawartość, może nie tylko wyciągnąć z niej wszystkie sprzęty, ale także próbować włożyć je z powrotem. Ta sama ciekawość może go w przyszłości zaprowadzić do rozbierania na części elektrycznych sprzętów, zabawek i starego magnetowidu, który już nie działa.

Dotyk

Twój syn może również odkrywać świat poprzez obracanie w dłoniach wszystkich przedmiotów jakie wpadną mu w ręce. Jest zdeterminowany i gnany cickawością, chociaż ty raczej opisałabyś go jako uparciucha. Niespecjalnie zdolny w widzeniu dużego obrazu, twój malec może przecenić swoje fizyczne zdolności tak jak nie docenia kruchości przedmiotu znajdującego się przed nim. Płaty czołowe mózgu, rozwijające się wolniej, nie wysyłają mu wiadomości dotyczących niebezpieczeństwa i potrzeby samokontroli.

Doświadczeni rodzice mogą określić w jakim wieku jest dziecko sąsiadów poprzez obserwację ułożenia łatwo łamliwych przedmiotów na regałach. Wciąż na stoliku do kawy? Dziecko jeszcze się nie podciąga. Poukładane wysoko na półkach? Malec krąży po mieszkaniu z beztroską typową dla małych dzieci.

Myślenie przestrzenne

Chociaż twój syn nie słyszy tak dobrze jak dziewczynka w jego wieku, całkiem prawdopodobne jest, że w wieku trzech lat będzie lepszy w celowaniu i uderzaniu zarówno ruchomych jak i nieruchomych celów. Twój malec może nie usłyszeć jak krzyczysz „Stop!" kiedy będzie próbował przemieścić zarówno siebie jak i przypadkowy przedmiot, który znalazł się mu pod ręką, ale z pewnością osiągnie swój cel. Badania przeprowadzone przez Johna Hopkinsa z University School of Medicine wykazują, że męski mózg jest lepiej zaprojektowany do tych zadań.

Twój syn będzie również lepszy w trójwymiarowym wyobrażaniu sobie przedmiotów i będzie potrafił obracać ten przedmiot w myślach, której to umiejętności nie posiadają jego rówieśniczki. Twój mały chłopiec pojmuje jak może wyglądać przedmiot oglądając go pod różnymi kątami, ale nie poruszając go, żeby odkryć jego wygląd. Szybciej może przejść przez labirynt lub tor przeszkód niż przeciętna dziewczynka. Kiedy przedmioty dookoła wyglądają identycznie, dziewczynka może nie być w stanie zlokalizować punktów, których potrzebuje, aby dotrzeć do celu przeznaczenia. Twój syn może użyć swojego wyczucia kierunku i odległości.

✦ CHŁOPIĘCE FAKTY ✦
Różnice anatomiczne

Badając anatomię mózgu naukowcy odkryli, że płat ciemieniowy, obszar odpowiedzialny za myślenie przestrzenne i matematyczne, jest większy w mózgu mężczyzny.

Lepsze myślenie przestrzenne jest jedną z najbardziej udokumentowanych różnic poznawczych pomiędzy chłopcami i dziewczętami. Różnica ta pogłębia się z wiekiem. Widoczna już u czteroipółletnich chłopców zaleta myślenia przestrzennego ma swoje zastosowanie w wieku późniejszym kiedy twój syn będzie prawdopodobnie umiał lepiej pojąć pewne matematyczne i naukowe zagadnienia niż większość jego koleżanek z klasy. Umiejętności te mogą pomóc chłopcom w czytaniu map i rozumieniu instrukcji budowy modeli. Nie mówimy tego po to, by zapewnić cię, że twój syn jest urodzony by zostać fizykiem nuklearnym otoczony samymi kolegami w pracy. Staramy się wyjaśnić częściowo dlaczego mężczyźni przeważają w zawodach związanych z użyciem umiejętności myślenia przestrzennego.

Język

Struktura mózgu twojego syna kształtuje jego zainteresowanie światem. Pamiętasz jak twój syn był zaciekawiony ruchomymi mobilami zawieszonymi nad łóżeczkiem, podczas gdy dziewczynki wolały oglądać twarze? Niektóre z tych fascynacji wynikają z różnic w budowie mózgu. Wierz lub nie, ale testosteron, na którego działanie był wystawiony twój syn w macicy, może mieć z tym nicco wspólnego. Wydaje się, że uderzenia testosteronu w fazie płodowej mogły się powtarzać, żeby wpłynąć na sposób w jaki twój syn współdziała z otoczeniem. Według niektórych badań, im więcej testosteronu działa na chłopca w fazie płodowej, tym mniej chętny jest do nawiązywania kontaktu wzrokowego kiedy będzie małym dzieckiem i mniej słów będzie wymawiał w wieku dwóch lat.

Pomiędzy narodzinami a ukończeniem piątego roku życia twój syn będzie rozwijał mowę w tempie ekspresowym, bez znaczenia na ilość testosteronu, jaka wpłynęła na jego organizm. Istnieją ogromne różnice w osiąganiu znaczących etapów rozwoju mowy w wieku poniemowlęcym. Umiejętności językowe mogą rozwijać się systematycznie bądź następować w olbrzymich wybuchach pojawiając się po okresie zacofania. Jak wszystkie dzieci, twój malec będzie rozumiał co do niego mówisz zanim sam będzie w stanie „powiedzieć własnymi słowami" co chciałby zjeść na śniadanie. Jest to nazywane rozumieniem mowy. Pierwsze próby wyrażania się ustnie będą prawdopodobnie serią niezrozumiałych dźwięków, które imitują rytm twojej dorosłej mowy. Jednak do ukończenia trzeciego roku życia, twój malec i jego koledzy będą w stanie komunikować się ze względną łatwością, choć mogą używać mniej słów niż dziewczynki w ich wieku.

Ogólnie, dziewczynki rozwijają umiejętności werbalne w szybszym tempie niż przeciętny chłopiec. Ponieważ dziewczynki zaczynają mówić wcześniej, zaczynają ćwiczyć swoje umiejętności werbalne równie wcześnie. Do dwudziestego miesiąca życia, słownictwo dziewczynki jest bogatsze o dwa, trzy razy więcej słów niż słownictwo chłopca. Twój syn w końcu nadgoni tę różnicę. Przed pójściem do pierwszej klasy oboje będą znać około czternastu tysięcy słów. Twój syn może znać tyle samo słów co dziewczynka, ale może używać ich z mniejszą częstotliwością bądź wymawiać je wolniej. Może używać średnio 125 słów na minutę, podczas gdy dziewczynka wypowiada około 250!

Możesz pomóc swojemu synowi rozwijać umiejętności językowe w następujące sposoby:

- **Nie przerywaj i nie kończ za niego zdań.** Twój syn może się męczyć, a ty będziesz chciała mu pomóc, ale pozwól mu skończyć jego własne zdania.

- **Używaj rekwizytów: książek, maskotek, obrazków.** Poproś synka, aby opowiedział ci bajkę i używaj jego zabawek jako odskoczni dla jego wyobraźni.

- **Upewnij się, że jego uwaga jest skupiona na tobie, kiedy do niego mówisz.** Jeśli twój syn cię nie słucha, przestań mówić i zaczekaj. Dotrze do niego większość tego co masz do powiedzenia, jeśli będzie skoncentrowany zanim zaczniesz mówić.

- **Daj mu dodatkowy czas na indywidualne nauczanie.** Twój syn bardziej niż wiele dziewczynek w jego wieku może potrzebować dodatkowych ćwiczeń i czasu, aby rozwinąć swoje umiejętności werbalne.

- **Śpiewajcie wspólnie.** Twój syn może mieć problemy z kontrolowaniem swojego głosu. Będzie potrzebował pomocy w modulowaniu głosu, ale muzyka jest jeszcze jednym ze sposobów pomagającym w używaniu mowy.

Autyzm – kilka słów dla zatroskanych rodziców

To prawda, że chłopcy rozwijają się wolniej niż dziewczynki, ale jeśli jesteś zatroskana zdolnościami językowymi twojego syna bądź innymi aspektami jego rozwoju, nie pozwól, aby podejście „On jest chłopcem, a chłopcy rozwijają się wolniej" zniechęciło cię do szukania profesjonalnej porady. Nie jest tajemnicą, że autyzm dotyka częściej chłopców niż dziewczynki. Osiemdziesiąt procent zdiagnozowanych przypadków autyzmu odkryto u chłopców.

Chłopięce opowieści

Joan martwi się o Sama. W wieku dwudziestu dwóch miesięcy przestał używać słów. Kiedyś mawiał, że kocha mamę przed pójściem spać, ale teraz już mu się to nie zdarza. Czasami dosłownie powtarza zdania. Jeśli Joan mówi „Powiedz dziękuję, Sam," dziecko powtarza jak echo „Powiedz dziękuję, Sam." Będąc w jego wieku jego starsze siostry paplały jak najęte. Sam zaczął chodzić później niż jego siostry. Ogólnie jednak, Sam jest względnie szczęśliwym chłopcem. Jego opiekunka utwierdzi, że jest po prostu nieśmiały, zauważając, że woli bawić się zabawkami niż z innymi chłopcami w żłobku. Podczas zabawy układa zabawki w rzędy, a to martwi Joan. Czasami Sam reaguje na swoje imię, choć nie zawsze. Przebył wielokrotnie infekcje ucha, a pierwszą z nich, kiedy miał zaledwie dziesięć dni. Joan rozmawiała ze swoim mężem, Markiem, o zabraniu Sama do lekarza, jeśli jego zachowanie się nie poprawi do jego drugich urodzin.

Autyzm oraz inne całościowe zaburzenia rozwojowe nie są spowodowane zaniedbaniami wychowawczymi. Chociaż naukowcy wciąż szukają przyczyn autyzmu, pojawia się coraz więcej dowodów na genetyczne zmiany w macicy powodujące, że części mózgu rozwijają się inaczej u dzieci autystycznych. Autyzm nie jest formą umysłowego upośledzenia, ale rozwijającymi się różnicami w zachowaniu społecznym dziecka, jego umiejętności komunikowania się oraz wewnętrznymi zainteresowaniami. Niektóre z badań koncentrują się na roli testosteronu, na którego działanie wystawiony jest płód w macicy. Dzieci wystawione na działanie większych dawek testosteronu w życiu płodowym mają większe trudności w nawiązywaniu kontaktu wzrokowego i zdobywaniu przyjaciół, a naukowcy badają, czy bardzo wysokie dawki testosteronu mogą przyczynić się do rozwoju autyzmu. Nie jest niczym dziwnym, że rodzice martwią się o dziecko. Ważne jest, aby pamiętać, że dziecko przechodzi przez różne etapy rozwoju w swoim własnym tempie. Pediatrzy jednakże sugerują skonsultowanie się ze specjalistą, jeśli twoje dziecko:

- Nie uśmiecha się mając pół roku.
- Nie gaworzy, nie gestykuluje ani nie wskazuje mając rok.
- Nie używa pojedynczych słów do szesnastego miesiąca życia, a dwuwyrazowych zdań do ukończenia drugiego roku.
- Doświadcza utraty umiejętności językowych i społecznych.

Chłopięce opowieści

Córka Val, Jenna, zaprosiła całą przedszkolną grupę na swoje czwarte urodziny. Ponieważ urodziny Jenny wypadały w lipcu, Val zorganizowała przyjęcie w ogrodzie i ustawiła stół pod dużą wierzbą. Przygotowała babeczki dla gości oraz ustawiła je na stole wraz z lukrem i posypką, aby dzieci mogły je samodzielnie udekorować. Dziewczynki grzecznie usiadły na ławeczce i zaczęły ozdabiać ciastka. Trzech chłopców złapało swoje babeczki, po czym wspięli się na drzewo i rzucali w dziewczynki kawałkami ciasta.

Jesteś adwokatem twojego syna. Idąc do pediatry bądź zawsze przygotowana. Pomyśl o konkretnych przykładach, jakie chcesz omówić. Nie wstydź się zadawać pytań czy być wytrwała. Jeśli lekarz używa zwrotów, których nie rozumiesz, poproś o wyjaśnienia. Jeśli masz uczucie, że twoje problemy nie zostały rozwiązane albo, że potrzebujesz więcej informacji, poproś o skierowanie do specjalisty, na przykład do psychologa rozwojowego czy psychiatry dziecięcego. Pamiętaj, twój lekarz ma średnio około piętnastu minut na obserwację twojego syna, a ty masz bogactwo danych. Zaufaj sobie.

Twój syn jako istota towarzyska

Teraz, kiedy twój syn porusza się i mówi, może śmiało i energicznie współdziałać ze swoim otoczeniem. W ciągu kilku następnych lat zaobserwujesz skok w kontaktach twojego syna z przyjaciółmi, tymi prawdziwymi oraz wymyślonymi. Będzie żył w świecie zabaw superbohaterów, złych postaci i żołnierzy. Jego wyspecjalizowane umiejętności mechaniczno-przestrzenne będą kształtować jego zabawę. Będzie chciał poruszać przedmiotami – piłkami, samolotami – lub własnym ciałem – rękoma i nogami – kierując nimi w przestrzeni.

Wczesna dyscyplina

W miarę jak twój syn będzie stawał się niezależny, będzie wypróbowywał zakres swojej kontroli nad otoczeniem. Jeśli potrafi zeskoczyć z czwartego stopnia schodów i wylądować bezpiecznie, spróbuje zeskoczyć z piątego, a później z szóstego. Niebezpieczeństwo tylko go bawi. Jako rodzic małego chłopca, będziesz zmuszona rozszerzyć swój repertuar dyscypliny.

Istnieje wiele powodów dla których ciężko ci będzie utrzymać w ryzach twojego syna przez następne kilka lat. Jest ciekawski. Ciągle się rusza. Ma ograniczone umiejętności werbalne. Stara się być zrozumiały, a jest to doświadczenie frustrujące zarówno dla ciebie jak i dla niego. Jego reakcja neuronowa jest powolna. Częściej pakuje się w kłopoty wspinając się na regały czy zagłówki swojego łóżka. Wyjaśnienia, że czegoś nie może robić, nie powstrzymają twojego syna. Czasami twoje argumenty będą niczym dla małego chłopca!

Zabierz syna na spacer kiedy będziesz próbowała zmienić jego zachowanie. Jego mózg będzie zajęty, kiedy się będzie poruszał. Nie oczekuj, że chłopiec będzie patrzył ci prosto w oczy. Będzie słuchał, ale lepiej mu pójdzie, jeśli będziecie szli ramię w ramię niż stali oko w oko.

Wybuchy złości i frustracja

W ciągu następnego roku będziesz miała prawdopodobnie okazję doświadczyć pierwszego gwałtownego wybuchu złości. Nie zrobiłaś nic złego, jednak faktem jest, że chłopcom może zająć więcej czasu uspokojenie się niż większości dziewcząt. Jego obwody w mózgu są przeładowane. Stara się zrobić zbyt wiele, powiedzieć zbyt wiele i zbyt wiele rzeczy opanować, a kiedy nie może osiągnąć pożądanego celu, wpada we frustrację. To jest normalne. Kiedy atak złości nadejdzie, trzymaj dziecko w bezpiecznym miejscu i zachowaj spokój. Kiedy rozpocznie się szał, twój syn nie jest fizjologicznie w stanie uspokoić się na żądanie. Jego mózg stara się przywrócić równowagę.

Twój syn uczy się jak rozwiązywać problemy i radzić sobie z frustracją. Kiedy badacze postawili przeszkodę w kształcie murku pomiędzy małymi dziećmi a ich matkami, mogli zaobserwować jak chłopcy i dziewczynki radzą sobie z frustracją. W końcu wszystkie maluchy chciały dostać się do swoich matek i wpadały na przeszkodę. Chłopcy, w konfrontacji z napotkanym problemem starali się przejść przez murek albo go przewrócić. Większość dziewcząt wyrażała swoją frustrację płaczem i krzykiem, jednak chłopcy używali siły podczas próby pokonania przeszkody i twój syn może postępować tak samo.

Teraz, kiedy twój syn chodzi i mówi, będzie szukał podobnych mu ludzi do towarzystwa. Twój malec jeszcze nie rozumie co to znaczy zaprzyjaźnić się. Będzie poszturchiwał, popychał, gryzł i bił syna waszych sąsiadów, żeby sprawdzić jak on zareaguje. Twój syn może być bardziej impulsywny i fizyczny w swoich zabawach niż jego siostra kiedykolwiek była.

Twój syn może nie rozmawiać ze swoim kolegą. Chłopcy często spędzają czas razem poprzez wspólne wykonywanie czynności a nie poprzez siedzenie i gadanie. Nie oczekuj, że podejdzie do ciebie i rozpocznie dialog dla samej przyjemności rozmawiania. W rzeczywistości, jeśli w przedszkolu pojawi się nowy kolega, twój syn może spędzić z nim cały ranek na zabawie, ale nie będzie w stanie powiedzieć jak on ma na imię.

✦ CHŁOPIĘCE FAKTY ✦
Chłopięce łącza

Chłopcy w wieku poniżej dwóch lat mają mniej niż dziewczęta oksytocyny, głównego neuroprzekaźnika w ludzkim organizmie.

Chłopięce opowieści

Susan i Scott pojechali pod namiot ze swoimi dziećmi: sześcioletnią Karen i trzyletnim Joshem. Pokochali kanadyjski kemping z powodu pięknych widoków gór i dodatkowego bonusu w postaci świetnie wyposażonego placu zabaw, gdzie dzieci mogły dokazywać ku zadowoleniu rodziców. Kaitlin wolała siedzieć i czytać książki, ale Josh biegł na plac zabaw kiedy tylko mógł, szalejąc wraz ze swoim nowym przyjacielem. Kiedy zapytał czy może iść po obiedzie na plac zabaw i pobawić się ze swoim kolegą, Susan spytała jak jego nowy kolega ma na imię. „Psyjaciel", odparł radośnie Josh zanim pobiegł w kierunku placu zabaw.

Nauka korzystania z toalety

Większość rodziców ma trudności w przekonaniu swoich synów, aby przestali się bawić i nauczyli się korzystać z toalety. Choć w zasadzie jest to krótki okres w życiu rodziców, nauka korzystania z toalety może się ciągnąć latami, a chłopcy są w zasadzie bardziej powolni od dziewcząt. Ludzie będą mieli mnóstwo rad na temat tego rozwojowego kroku w życiu dziecka. Czy mam go uczyć, żeby siedział zarówno na siusiu jak i kupkę? Czy mam go uczyć, żeby stał i siedział? Nocniczek czy nakładka na deskę klozetową? Które do czego?

Jeśli twój syn chodzi do przedszkola, porozmawiaj z jego wychowawczyniami o tym jak załatwiają się pozostali chłopcy. Twoje dziecko może być skonsternowane, jeśli nie dopasujesz się w domu do sprzętów używanych w żłobku. Na temat nauki korzystania z toalety można znaleźć wiele książek, artykułów w prasie dla rodziców oraz w Internecie.

Chłopięce opowieści

Sandy, trzydziestoczteroletnia instruktorka yogi oraz Jeffrey odwiedzili w weekend swoich przyjaciół. Dwuipółletni syn gospodarzy, Nick, był bardzo zadowolony z faktu, że właśnie uczył się korzystać z nocnika. Podczas obiadu przyciągnął swój nocniczek do jadalni, dumnie ściągnął spodenki i zaczął siusiać na dywan w pokoju.

Stabilizacja płciowa

Przed ukończeniem dwóch i pół roku twój syn rozwinie w sobie ciekawość i świadomość różnic płciowych. Będzie chciał naśladować tatę lub starszych braci. W czasie swoich poniemowlęcych oraz przedszkolnych lat, może rozwinąć zdecydowaną świadomość tego, że jest chłopcem. Będzie wiedział, że chłopcy mają penisy, a dziewczynki nie. Będzie mógł myśleć, że pewnego dnia jego penis odpadnie, a on sam zmieni płeć. Atak szału, jaki zaprezentuje, kiedy będziesz go chciała ubrać w różową bluzę po starszej siostrze, może być efektem strachu, że stanie się dziewczynką!

W ciągu tego okresu twój malec może wykazywać coś co ty nazwałabyś „ekstremalnie stereotypowym" zachowaniem kiedy stara się zdefiniować siebie jako przyszłego mężczyznę. Większość rodziców stara się wychowywać chłopców bez stereotypów. Kupują pastelowe ubrania oraz lalki i zabawki w kształcie kuchennych sprzętów. Pomimo tych wysiłków, lalki są często pozbawiane głów podczas prób przerobienia ich na pistolety.

Nie będziesz w stanie zniechęcić pragnienia chłopca do zabawy pociskami i bronią. Chłopcy się świetnie bawią! Okres ten, który psychologowie określają jako „stabilizację płciową", może trwać przez lata przedszkolne. Około piątego roku życia, twój chłopiec uświadomi sobie, że nie stanie się dziewczynką mimo wszystko. Istnieje wówczas szansa, że wreszcie nałoży tę pastelowo żółtą koszulę, którą mu kupiłaś.

Chłopięce opowieści

Po trzydziestu latach pracy w przedszkolu Annette, matka trzech chłopców, odeszła na emeryturę. Zapytana co najbardziej ją zaskoczyło w pracy z dziećmi odparła bez wahania, że nie ważne jak bardzo się starała, nie mogła zmienić faktu, że chłopcy chcieli bawić się różnymi rodzajami broni podczas gdy dziewczynki nie. Pomimo iż w przedszkolu panował zakaz przynoszenia zabawek w kształcie broni, chłopcy przez wszystkie lata wykazywali zdumiewającą kreatywność w tworzeniu substytutów. Klocki, gałązki, puzzle i marchewka wszystkie spełniały swoją rolę.

Przyjaźń i zabawa

Niezależnie od tego jak bardzo nictowarzyski wydaje się twój syn, przyjaźnie są dla niego bardzo ważne. Twój malec będzie orbitował w kierunku innych chłopców. Segregacja płciowa istnieje w każdym przedszkolu. Większość dziewcząt woli bawić się z dziewczynkami, a większość chłopców – z chłopcami. Zasady są inne dla zabaw chłopców i dziewczynek. Współzawodnictwo, konflikt i dominacja mogą określać przyszłe zabawy twojego syna, podczas gdy dziewczynki reagują na nie negatywnie preferując współpracę w swoich zabawach. Twój syn może chcieć zbudować wyższą wieżę i biegać szybciej niż jego najlepszy kumpel.

Nastawieni, aby postrzegać świat przez pryzmat umiejętności przestrzenno-ruchowych, chłopcy często wymagają więcej miejsca do zabawy. Na całym świecie chłopcy więcej się szamocą, więcej walczą i współzawodniczą w swoich grach szukając dominacji niż ich rówieśniczki. Możesz oczekiwać, że twój syn i jego przyjaciele dosłownie będą biegać po ścianach odkrywając świat przyjaźni i przestrzeni.

Stereotypy płciowe czy normalne chłopięce zachowanie?

Zapytani co określa wybór zabawki przez chłopca lub dziewczynkę wielu ludzi odpowiada „stereotypy społeczne". Jednak małpy zaprzeczają temu stwierdzeniu. Odkryto, że wybór zabawki przez małpę jest zgodny z wyborem ludzkiego dziecka. Chociaż małpy nie mają pojęcia o tym, które zabawki są „dziewczęce" a które „chłopięce", samce spędzają więcej czasu bawiąc się samochodami i piłkami niż samice. Z kolei samice więcej czasu bawią się lalkami niż robią to samce. Zakładając, że małpi ojcowie nie mieli nic przeciwko, żeby ich synowie bawili się lalkami!

Zdecydowanie przy doborze zabawek działa więcej czynników niż społeczne oczekiwania. Piłkę i samochód można wprawić w ruch. Dają one chłopcom i samcom małpy więcej możliwości na dziką i aktywną zabawę.

Możemy nie uczyć naszych dzieci agresywnych zabaw. W zasadzie, jako rodzice chłopca, spędzicie ogromną ilość czasu próbując oduczyć go tego rodzaju zachowań. Jako matka, która ciągle ustala granice postępowania syna, prawdopodobnie zastanawiasz się, dlaczego chłopcy są bardziej agresywni od dziewcząt? Dlaczego bawią się w wojnę i destrukcję? Naukowcy uważają, że chłopcy mają predyspozycje do ogólnego bycia wysoce aktywnymi z powodu uderzeń fal testosteronu w życiu płodowym. Nie martw się, jeśli twój synek będzie nawiązywał większy niż ty byś sobie tego życzyła fizyczny kontakt ze swoimi kolegami. Walka i agresja werbalna są dla niego normą. On nie używa przemocy, po prostu się bawi. Oczywiście, nie oznacza to, że ujdzie mu płazem bicie i krzywdzenie kolegów. W tym momencie należy odwołać się do dyscypliny!

Często rodzice próbują wprowadzić do otoczenia syna nowych kolegów. Chłopięca zabawa nie polega na lubieniu się, tylko na sprawdzeniu jakie zabawki ma ten nowy i czy będzie pomocny w zbudowaniu wyższej wieży.

Rozwijanie umiejętności towarzyskich

Możesz pomóc swojemu synowi dostosować się do wymogów społecznych jeśli:

- **Masz pod ręką duplikat.** Z początku twój syn nie będzie bawił się z innymi chłopcami w grupie. Będzie bawił się obok nich w sposób jaki specjaliści od rozwoju nazywają „zabawą równoległą". Możesz ograniczyć ilość szturchańców i łez trzymając w zanadrzu mnóstwo zabawek (podobnych do siebie), aby móc je rozdać w odpowiednim momencie.

- **Pilnujesz czasu.** Stały rytm dnia jest niezastąpiony przy dwuletnich chłopcach. Jeśli twój syn opuścił drzemkę, możesz rozważyć odwołanie spotkania z jego rówieśnikami. Nikt z nas nie jest w najlepszej formie kiedy jest wykończony.

- **Pozwalasz na aktywność.** Im więcej przestrzeni na zabawę ma twój syn z kolegami tym lepiej. Pozwól im pobawić się na dworze, a będą ci wdzięczni niezmiernie.

Żłobek, przedszkole i dalej

Być może wracasz do pracy za kilka miesięcy. Być może chcesz, aby twój syn miał możliwość socjalizowania się z innymi dziećmi. Być może pierwsze akademickie doświadczenia twojego syna odbędą się w zerówce. W każdym razie twój syn w ciągu następnych lat znajdzie się w otoczeniu instytucji edukacyjnej. Jako rodzice chłopca będziecie musieli być adwokatem dla niego oraz jego męskiego mózgu, który będzie mu towarzyszył w szkole.

✦ **CHŁOPIĘCE FAKTY** ✦

Ruch w klasie

Przeprowadzony niedawno raport na temat sytuacji edukacji przedszkolnej w USA wykazał, że większość żłobków oraz przedszkoli tłamsi zdolności uczenia się małych chłopców każąc im przebywać wewnątrz budynku lub siedzieć zbyt długo w klasie.

Dostosowanie się do stylu chłopca

Twój syn uczy się poprzez ruch, a niektórzy nauczyciele nie potrafią zaakceptować tego męskiego stylu nauki. Chłopcy często nie chcą usiąść. Zabierz chłopca na zewnątrz, a nauczy się kolorów i kształtów kopiąc kamyki i zbierając liście. Umiejscowienie lekcji nie jest tak ważne dla dziewczynki. Dziewczęta rozmawiają ze sobą niezależnie od miejsca, w którym się znajdują, nawet w czasie lekcji. Chłopcy często milczą pracując nad projektem.

Chłopcy częściej niż dziewczynki popadają w kłopoty w środowisku klasowym. Osoby, które myślą, że chłopcy celowo przeciwstawiają się nauczycielom są w błędzie. Chłopcy po prostu angażują się w lekcje najlepiej jak potrafią. Większość chłopców dobrze się czuje współzawodnicząc intelektualnie, a nie tylko sportowo. Jeśli szkoła czy przedszkole, do których uczęszcza twój syn, nie najlepiej na niego oddziałuje, porozmawiaj z nauczycielką. Spróbujcie opracować plan, który da ujście jego fizycznym zapędom, a jednocześnie ustali wyraźne granice postępowania bez potrzeby upokarzania dziecka.

Szukając żłobka czy przedszkola dla swojego syna zwróć uwagę, czy są tam możliwości do:

- **Zabawy.** Zabawa jest pracą dla małego dziecka. Twój syn nie będzie siedział bez ruchu, ale będzie się uczył umiejętności potrzebnych do szkoły podstawowej i dalszej edukacji.

- **Nauki poprzez ruch i doświadczanie.** Chłopcy uczą się najlepiej poprzez dotykanie, poruszanie, budowanie oraz wspinanie się na rozmaite przedmioty. Problemy rozwiązują w sposób fizyczny. Lekcja na temat wulkanów staje się realistyczna i jest znacznie bardziej efektywna kiedy chłopiec może dodać trochę barwnika i octu do proszku do pieczenia i obserwować wybuch niż kiedy ogląda obrazek Wezuwiusza.

- **Tematów dla chłopców.** Chłopcy uczą się najlepiej kiedy ich myśli i fantazje mogą być wyrażane w ich opowieściach i zabawach. Te często gwałtowne tematy, które interesują chłopców, nie są przyjemne dla dziewcząt oraz, co jest częste, dla pani nauczycielki. Twój syn będzie zainteresowany czytaniem na głos, jeśli książki traktują o jego zainteresowaniach i pasjach.

Chłopięce opowieści

Rosie nie mogła doczekać się powrotu jej męża Chrisa z pracy do domu. Po urodzeniu ich czteroletniego syna Briana przerwała pracę jako specjalistka od matematyki. Brian był bardzo typowym chłopcem. Orbitował w stronę suchych liści, piasku i gałęzi jeśli tylko wyszedł na dwór. Tego dnia Rosie zabrała go na nowy plac zabaw. Brian spędził kilka minut wypróbowując nowe sprzęty po czym skierował się w stronę gałązek oraz liści zagrabionych z brzegu. Zajął się łamaniem patyczków i mówieniem do siebie, po czym podniecony pobiegł w stronę mamy. „Mamo", zawołał. „ Odkryłem matematykę patyczków. Jeśli przełamiesz patyczek na pół to będziesz miała dwa. Kiedy przełamiesz dwa patyczki, będziesz miała cztery a kiedy połamiesz cztery, będziesz miała osiem!"

Różnice pomiędzy chłopcami

Tak jak istnieją różnice pomiędzy płciami, w obrębie jednej płci również odnotowujemy różnorodność. Jest wiele rodzajów chłopców, od wysoce fizycznego i współzawodniczącego typu do cichego artysty, który jest tak samo szczęśliwy kiedy ukończy swój rysunek jak jego kolega, który zmaga się z innymi chłopcami na podwórku w czasie przerwy. Nie wszyscy chłopcy zamieniają patyki w karabiny. Ponieważ chłopcy są rozrzuceni na behawioralnej skali, trudno jest zdefiniować „typowego" chłopca. Bycie rodzicem waszego syna może okazać się przygodą w poznawanie jego natury.

Leanne, matka trzyletnich bliźniaków, może to potwierdzić. Na zabawę karnawałową chciała ubrać chłopców identycznie. Jednak jej synowie nie byli zainteresowani jej planem. Zeb wystąpił jako wojownik ninja, a Gabe jako pasterz. Nie upłynie dużo czasu zanim twój syn zadeklaruje w jakim przebraniu będzie chciał wystąpić na balu karnawałowym. Obecnie jesteście pewnymi siebie rodzicami chłopca. Prawdopodobnie odkryliście, że matki i ojcowie stosują różne metody wychowawcze bazując na swoich zdeterminowanych przez płeć umysłach. Jedna rzecz jest pewna. Kochacie waszego syna bez opamiętania. Ryzykowalibyście bez wahania, żeby go chronić. W następnym rozdziale omówimy biologiczne różnice w mózgach matki i ojca oraz sposób w jaki wpływają na bycie rodzicem. Omówimy sposoby mogące wspomóc was oboje i przedstawimy kilka porad przydatnych podczas wychowywania waszego syna.

Mały chłopiec jest wyzwaniem dla całcj rodziny! Kręgi wsparcia

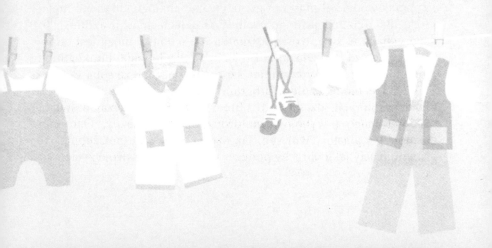

Larry jest psychiatrą i ojcem dwóch synów i córki. Pewnego razu zwierzył się przyjacielowi: „Nie mamy dzieci po to, żeby czuć się lepiej, mamy dzieci po to, aby czuć więcej".

Larry miał rację, ale nie musisz wyruszać w tę ekscytującą choć często przygniatającą podróż uczuć samotnie. Jako świeżo upieczeni rodzice macie do dyspozycji wiele informacji. Wiedza ta może pochodzić od naukowej społeczności i badań, jakie omówiliśmy; od pedagogów, którzy spędzili lata obserwując dzieci i ich zachowanie, od specjalistów z waszego otoczenia, od rodziny, od rodziców z kręgu waszych przyjaciół oraz od siebie samych.

Rady, jakie otrzymacie, będą różne, ponieważ matki i ojcowie wychowują dzieci w różny sposób. Tak samo jak osobowość twojego syna rozwija się bazując na jego płci, różnice w podejściu rodziców są także rezultatem biologicznych uwarunkowań połączonych z doświadczeniem. Sposób, w jaki reagujemy jako matki czy ojcowie, jest połączony z naszymi określonymi przez płeć mózgami.

Carl Whitaker, doświadczony terapeuta rodzinny, opisuje zróżnicowanie ról matki i ojca używając analogii koła jako metafory dla rodziny. Jeśli pomyślimy o dzieciach w rodzinie jako szprychach w kole, wówczas matka i jej kobiecy mózg jest odpowiedzialna za przywiązanie i relacje międzyludzkie. Funkcjonuje jako piasta koła przytrzymując szprychy złączone ze sobą w środku. Ojciec, biologicznie zaprogramowany do podejmowania ryzyka i eksploracji, działa jako obręcz koła, doświadczając świata zewnętrznego i wybojów na drodze podczas jazdy. Ochrania szprychy i piastę. Twój syn, jak szprycha w kole potrzebuje zarówno piasty jak i obręczy podczas podróży przez swoje życie.

Chłopięce opowieści

Sophie i David robili zakupy w supermarkecie wraz ze swoimi trzyletnimi bliźniakami, Michaelem i Richardem, kiedy Sophie zaczęła panikować. Straciła z oczu dzieci. Chłopcy gonili się po sklepie i znaleźli się kilka alejek dalej od rodziców. David skomentował zatroskanie Sophie jako reakcję nadopiekuńczej matki. Sophie odparła: „Moja pępowina wystarcza tylko na tyle!" Będąc skoncentrowana na przywiązaniu, Sophie chciała, aby dzieci znajdowały się blisko niej. Skupiony na ochronie i działaniu, David chciał mieć dzieci tylko w zasięgu wzroku. Testosteron krążący w ciele Davida pozwolił mu zachować spokój podczas wycieczki chłopców po sklepie i w ciągu dwóch minut znalazł ich w dziale produkcyjnym.

Biologia mózgu matki i ojca

Podczas gdy wasz syn rozwijał swój mózg w życiu płodowym, każde z jego rodziców osobno rozwijało swój mózg jako matka i ojciec. Postępy w badaniach nie tylko wykazały różnice pomiędzy mózgiem męskich i żeńskim, ale także różnicę w mózgu kobiety będącej matką oraz kobiety, która nie ma dzieci. Burza hormonów jaka ma miejsce podczas ciąży, porodu i laktacji jest częściowo odpowiedzialna za przekształcenie kobiecego mózgu. Ciąża i macierzyństwo zmieniają strukturę mózgu samic u ssaków, sprawiając, że matki dbają o swoje młode i są lepiej wyposażone do opieki nad nimi. Połączenia w mózgu odpowiedzialne za czynniki powodujące stres podczas bezdzietnej egzystencji wymagają mniejszej wydajności, wytrzymałości i pomysłowości niż mózg pozbawionej snu matki próbującej połączyć pracę, pranie, pieluchy, fotelik samochodowy i płaczące dziecko.

Naukowcy twierdzą, że mózg ludzki stale rozwija się przez cały czas naszego życia. Nowe ścieżki powstają w odpowiedzi na nowe wyzwania i doświadczenia. Zanim zostaliście rodzicami, ilu z was miało doświadczenia z uspokajaniem płaczącego niemowlaka prowadząc samochód z prędkością 60 kilometrów na godzinę i słuchając wiadomości w radiu starając się dotrzeć do babci, tak żeby jeszcze zdążyć do pracy na 8.30? Badacze mózgu opisują przeżycie stania się rodzicem jako „rewolucję w mózgu".

 Opowieść o mamie

Amy pojawiła się w gabinecie swojego terapeuty we łzach. Przed narodzinami syna, Davida, była wysoko postawioną kierowniczką w dużej firmie produkującej oprogramowanie. Wraz z mężem zdecydowali, że przez pierwsze lata życia Davida zostanie z nim w domu. Teraz stała się mamusią, która ciągle zapomina i wścieka się o drobiazgi, i która nie pracuje w dużym biurowcu tak jak tatuś.

Amy skarżyła się, że jej syn nie postrzega jej jako kobiety, która ukończyła studia i zarządzała wielomilionowymi kontami. Zdawała sobie sprawę, że była inteligentną dziewczynką już w szkole podstawowej, jednak bała się, że jej syn dojdzie do wniosku, że mamusia może nie być zbyt bystra.

Terapeuta Amy uspokoił ją, żeby się nie martwiła. Wszystko było w porządku z głową Amy, jej mózg adaptował się do nowej roli matki małego dziecka. Postrzeganie jej przez syna będzie równie pozytywne, zapewnił ją specjalista.

Reakcja matki
Nowe badania wykazują, że przepływ hormonów podczas ciąży zmienia na stałe połączenia neuronowe w mózgu matki. Kobiety często przychodzą do lekarza zadając pytania nie tylko na temat ciała, ale również ich umysłu.

„Jestem jak rozbita. Ciągle czegoś zapominam. Czy odzyskam mój mózg w powrotem?" Diagnoza brzmi „demencja ciążowa", żartujemy. Jednak w rzeczywistości ciężarna kobieta i jej rozwijający się do roli matki mózg przechodzą epokowe zmiany. W badaniach przeprowadzonych w Kanadzie, naukowcy pobrali próbki krwi od trzydziestu czterech par w różnych okresach ciąży i krótko po porodzie. Badali poziom oksytocyny, kortyzolu i prolaktyny zarówno u mężczyzn jak i kobiet. Oksytocyna jest jednym z głównych narzędzi natury tworzących matkę. Liczba receptorów oksytocynowych w mózgu ciężarnej kobiety znacznie wzrasta pod koniec ciąży, co sprawia, że staje się ona bardziej wyczuloną matką. Organizm matki produkuje oksytocynę w odpowiedzi na karmienie piersią i trzymanie dziecka. Dzieci, które chętnie reagują na karmienie, są bardziej chłonne, co sprawia, że organizm matki reaguje szybciej, ustalając w ten sposób pozytywny ciąg przemian. Ze zwiększonym poziomem oksytocyny, mózg młodej matki produkuje nowe synapsy, tworząc połączenia niezbędne dla matczynych zachowań.

Uwalniany w odpowiedzi na sygnały przesyłane z ciała migdałowatego, kortyzol nazywany jest hormonem stresu, który również odgrywa ważną rolę jako wskaźnik przywiązania. Matki z wysokim poziomem kortyzolu potrafią wyczuć zapach swojego dziecka szybciej niż matki z niskim poziomem hormonu. Ponadto, matki opisują uczucie wielkiej bliskości ze swoim dzieckiem.

Fakty na temat mózgu matki
Pod wpływem
Interesującym efektem ubocznym wysokiego poziomu macierzyńskiej oksytocyny jest fakt, że matki chętnie odczuwają bliskość nie tylko ze swoimi dziećmi, ale również z każdym osobnikiem płci męskiej, który znajduje się w pobliżu. Dobry powód dla ojców, żeby byli dostępni przez cały czas!

Prolaktyna, hormon odpowiedzialny za laktację, był ostatnim przebadanym hormonem. Niemowlęta z natury dają nam możliwość zmiany naszego mózgu. Wymagania twojego syna, abyś go trzymała i karmiła kilkakrotnie w ciągu dnia i nocy skutkują wysokim poziomem prolaktyny. A kiedy mózg zostaje wystawiony na działanie prolaktyny przez długi czas, wówczas są stymulowane receptory opioidowe. Nic dziwnego, że świeżo upieczone matki tak bardzo pragną bliskości rodziny! Przeżywając napór hormonów, kobiety mają tendencję do wykazywania zachowań, które określamy jako „macierzyńskie". Oksytocyna krążąca w ciele kobiety zwiększa jej zdolność zrozumienia dziecka i jego potrzeb. W większości przypadków, malec woła mamę, kiedy zrobi sobie „kuku", a większość matek reaguje wyrażając zrozumienie i współczucie. Młode matki często rezygnują ze swojego prywatnego czasu i potrzeby niezależności na rzecz opieki nad swoimi maluchami. Dość często matka stara się pogodzić wykonywanie „samolubnych" zajęć, takich jak higiena osobista i ćwiczenia, podczas pierwszych miesięcy życia jej syna.

Reakcja ojca
Nie tylko matki doświadczają zmian hormonalnych podczas ciąży i pierwszych miesięcy bycia rodzicem. W badaniach kanadyjskich, podczas których monitorowano poziom oksytocyny, kortyzolu i prolaktyny u matek, naukowcy zasugerowali, że w męskości chodzi o coś więcej niż sam testosteron. Chociaż testosteron jest z pewnością ważny w dążeniu mężczyzny do spłodzenia dziecka, żeby uformować ojca wymaga towarzystwa innych hormonów.

W badaniach opublikowanych w *Mayo Clinic Proceedings* naukowcy odkryli, że świeżo upieczeni ojcowie mają wyższy poziomo estrogenu, hormonu typowo kojarzonego z kobietami. Podczas ciąży i okresu poporodowego, mężczyźni przechodzą przez wahania hormonów podobnie jak ich partnerki. Zadziwiające jest, że 90 procent mężczyzn zadeklarowało doświadczanie fizycznych symptomów takich jak nudności czy przybranie na wadze podczas ciąży ich żon. Okazuje się, że natura odgrywa rolę w przygotowaniu mężczyzn jak i kobiet do bycia oddanym rodzicem. Badania te również wykazały, że poziom prolaktyny i kortyzolu u ojców był zmienny. W ciągu trzech tygodni przed narodzeniem dziecka poziom prolaktyny u ojców wzrósł o około 20 procent, a poziom kortyzolu był dwa razy większy w czasie tego okresu niż przez całą ciążę.

Fakty na temat mózgu ojca
Ojcowie też mają hormony!
Przez pierwsze miesiące życia noworodka, poziom testosteronu u jego ojca zmniejsza się o 33 procent. Nie martwcie się, tatusiowie. Testosteron powróci do poziomu sprzed porodu. Jeden z psychologów zasugerował, że spadek hormonu pomaga ojcom nawiązać bliską więź emocjonalną z dzieckiem i pozwala opiekuńczym aspektom osobowości ojca objawić się podczas pierwszych tygodni życia jego dziecka.

Chociaż obecna i aktywna podczas tworzenia emocjonalnej więzi u matki i niemowlęcia, wazopresyna również odgrywa rolę w chemii połączeń neuronowych ojca. Wazopresyna, hormon wytwarzany przez podwzgórze i przechowywany w przysadce mózgowej, ma wpływ na tworzenie więzi. Wazopresyna jest uwalniana w organizmie samca w reakcji na bliskość i dotyk. Kiedy tata jest w domu przez kilka pierwszych dni, wazopresyna jest uwalniana i pomaga mu utworzyć więź z nowonarodzonym synem.

Po kilku pierwszych tygodniach rodzicielstwa, poziom testosteronu u ojca powróci do poprzedniego stanu, a jego połączenia w określonym przez męską płeć mózgu przygotują go do unikalnego sposobu wychowania syna.

Opowieść o tacie

Scott miał zostać sam ze swoim synem niemowlakiem po raz pierwszy od jego narodzin. Kirsty miała wyjść do sklepu po kilka rzeczy. Była zdenerwowana, ponieważ nie odciągała pokarmu ani nie stosowała mleka modyfikowanego. Zaczęła litanię rzeczy, które Scott mógł i powinien zrobić podczas jej nieobecności. W końcu zrozpaczony Scott zawołał: „Kirsty, może nie mam piersi, ale mam mózg!"

Ojciec chłopca będzie miał bardziej fizyczny, gwałtowniejszy kontakt ze swoim synem niż matka chłopca. Przestrzenno-ruchowe umiejętności ojca dostarczą wielu okazji jego synowi do interakcji ze światem. Ojciec częściej angażuje się w podnoszenie syna do góry, ściskanie go i noszenie po domu ostrożnie, ale w bardziej gwałtowny sposób niż robi to matka. A kiedy syn zrobi się starszy, to bardzo prawdopodobne jest, że z tatą będzie rzucać piłką, uprawiać zapasy czy uczyć się rzucać strzałkami.

Interakcja z ojcem prawdopodobnie będzie odbywać się w krótkich, aktywnych napadach niż w długotrwałej stałej opiece jaką roztacza nad dzieckiem matka. Tata zjawia się nagle i wszystko miesza z typowo ojcowską energią właśnie kiedy mama myśli, że już uspokoiła synka. Tata będzie ustawiał tory przeszkód w dużym pokoju, przedpokoju i w kuchni. Będzie zachęcał syna, aby przekraczał swoje limity sprawnościowe ku niezadowoleniu mamy.

Mama i tata w jednym stali domu
Jako że matki i ojcowie wyrażają swoje określone przez płeć umysły w postawach rodzicielskich, różnice w stylu wychowania dziecka są nie do uniknięcia. Jeśli nie doszło pomiędzy wami jeszcze do konfliktu, nie bądź zaskoczona kiedy tak się stanie.

Ojcowie uważają, że matki zbytnio martwią się o dzieci. Matki, w odpowiedzi na biologiczne uwarunkowania, często wychowują dzieci angażując się emocjonalnie intensywniej niż robią to zazwyczaj ojcowie. Kiedy mama i tata bujają synka na huśtawce, mama najczęściej martwi się o bezpieczeństwo dziecka kiedy tata popycha huśtawkę coraz wyżej. Kiedy ich synek woła, „Patrzcie na mnie!", mama na ogół mówi coś w stylu: „Uważaj, nie huśtaj się tak wysoko!". Jednak tata będzie zachęcał syna, żeby sprawdził jak wysoko może się bujać. A kiedy zdarzy się dziecku spaść z huśtawki, tata może pomyśleć, że mama zbytnio rozkleja się pocieszając chłopca i całując jego otarcia.

Naładowane estrogenem i oksytocyną matki są nastawione na intensywną opiekę jakiej wymaga noworodek. Większość matek należy się medal za wykształcenie zachowań takich jak karmienie, przewijanie czy opieka nad niemowlęciem. A zapytane matki odpowiedzą, że lubią obowiązki dbania o dziecko bardziej niż ich mężowie.

OPOWIEŚĆ O MAMIE I TACIE

Maggie i Lloyd zabrali swoich dwóch synów, w wieku dwóch i pięciu lat, na weekend na narty w góry. Po jeździe z dwuletnim Larrym na plecach, rodzina powróciła do wynajętego domku i rodzice postanowili pozwolić Larry'emu się wybiegać. Lloyd chwycił sanki i zabrał dwulatka na pobliskie wzgórze, podczas gdy Maggie krzyczała, jak oblodzony jest zjazd. Lloyd nie zmartwił się tym faktem. Właśnie wtedy Larry zleciał z sanek twarzą w dół zbocza. Zanim Maggie do niego dobiegła, siedział ociekając krwią z zadrapań na twarzy. Maggie była wściekła, ale Larry się cieszył, a Lloyd był gotów zabrać syna z powrotem na górę.

Tak samo jak ich synowie używają mniej słów niż ich rówieśniczki, ojcowic również nie mówią tak wiele jak ich żony do dzieci. Ojcowie chcą „suche fakty, proszę pani", a matki wolą rozmawiać o tym jak syn ustosunkowuje się do tych faktów. Mamy zachęcają dzieci do „używania własnych słów", natomiast ojcowie raczej powiedzą chłopcu „wyrzuć to z siebie". Tata może zorganizować wyścig pomiędzy swoją trzyletnią córką a jej najlepszym kolegą. Jeśli dziewczynka wygra, a jej przyjaciel uderzy w płacz, ze strony obu ojców w pokoju nie będzie uścisków ani pocieszenia. Matki najczęściej zapytają co mogłyby zrobić, aby malec poczuł się lepiej.

Biorąc pod uwagę większe zainteresowanie ze strony mam i ich pragnienie do wypełniania podstawowych obowiązków rodzicielskich, zazwyczaj wykonują je częściej niż ich mężowie. W zasadzie dzieci się do tego przyzwyczajają. Większość niemowląt i małych dzieci najczęściej woła mamę, kiedy pragną jej czułego dotyku. Wasz syn może chcieć być pocieszany i uspokajany jedynie przez mamę przez pierwsze kilka lat. Może także więcej bawić się z mamą, która jest bardziej wyczulana na wszelkie niuanse jego zachowania.

Matki są bardziej zainteresowane spędzaniem dłuższych okresów czasu ze swoimi dziećmi. Korzystając z bardziej wyczulonych zmysłów, aby dostosować się do potrzeb dziecka, matki mają lżejszy sen kiedy dziecko jest w domu. Mniej prawdopodobne jest, że ojciec usłyszy płaczącego w nocy syna i raczej będzie zdenerwowany, jeśli ten go obudzi.

Mając poszerzone pole widzenia matki wydają się mieć dosłownie oczy dookoła głowy. W każdej chwili matka wie, gdzie jest jej syn oraz czego potrzebuje. Jeśli nie jest bezpośrednio poproszony o przypilnowanie dziecka, ojciec zakłada, że z dzieckiem jest wszystko w porządku.

Opowieść o mamie

Od wczesnych lat Susan zawsze lubiła być w środku zainteresowania swoich rówieśników. Spencer, jej pięcioletni syn, był inny. Chłopiec był równie zadowolony bawiąc się sam jak z innymi dziećmi. W pewien weekend syn dyrektorki przedszkola obchodził swoje piąte urodziny, a Spencer nie został zaproszony. To właśnie Susan, a nie Spencer, była zszokowana brakiem zaproszenia. Susan dopilnowała, aby tego popołudnia urządzić specjalną zabawę dla Spencera i jego kolegów. Niezależnie od tego, czy chłopiec wiedział czy nie o czasie planowanych urodzin znajomego, Susan poczuła się lepiej upewniając się, że jej syn nie jest sam w dniu przyjęcia.

Różnice w dyscyplinie

Matki i ojcowie różnią się w podejściu do zdyscyplinowania dzieci. Ojcowie często szybko interweniują i ustalają wyraźne granice w zachowaniu. Mama często interpretuje postępowanie taty jako obcesowo i zbyt szorstkie. Matki martwią się tym, jak ich synowie czują się pod koniec kary. Dla matek, przekazanie informacji nie jest tak istotne jak zachowanie poczucia wartości dziecka. Uważając, że ojcowie są od tego by pilnować chłopca i uczyć go odpowiedzialności, tata często czuje się odpowiedzialny za przekazanie informacji.

Zatem, co mogą zrobić kochający rodzice?

- **Zaakceptujcie fakt, że się różnicie** i doceńcie jak te różnice poszerzają pole doświadczeń waszego syna. Czasem ważne jest, aby móc się zgodzić na niezgodę.

- **Dajcie sobie nawzajem możliwość spędzania osobno czasu z waszym synem.** Wasz syn potrzebuje obojga rodziców i oboje z was potrzebuje czasu, aby poćwiczyć bycie odpowiedzialnym. Ojcowi łatwo jest przerzucić obowiązki wychowawcze na mamę, gdy ta jest w pobliżu. Jeśli mamy nie ma, wówczas tata naprawdę wie, jak opiekować się synem.

- **Dajcie sobie czas na bycie osobno bez waszego** syna. Ważne jest aby mama nauczyła się jak zająć się sobą, kiedy zostaje matką!
- **Pamiętajcie, zanim staliście się rodzicami, byliście parą.** Ojcowie często narzekają, że czują się zaniedbani przez swoje żony, które często stawiają dzieci na pierwszym miejscu przed związkiem. Zadbajcie o wspólne relacje, będą was podtrzymywać przez cały czas.
- **Pozwól tacie poprzepychać się z synem.** Ojcowie wiedzą jak bawić się zachowując bliski kontakt fizyczny z synem. Twój chłopiec uwielbia ten rodzaj stymulacji, a taka zabawa nie sprawi, że stanie się agresywny. Matki uważają, że ojcowie przesadzają z nadmiarem bodźców. Tata w rzeczywistości udziela synowi wartościowej lekcji na temat samokontroli!

Gdzie jeszcze możecie szukać wsparcia?

Nie musicie sami wychowywać dziecka. Skorzystajcie z pomocy rodziny, zarówno bliższej jak i dalszej. Wasi rodzice, przyjaciele i krewni są po to, aby was wspierać. Zadawajcie pytania, korzystajcie z ich mądrości i doświadczeń. Możecie nie zawsze zgadzać się z ich poradami, choć warto cenić inne spostrzeżenia.

Społeczność ekspercka
Wiedza specjalistyczna może wspomóc rodziców poradą. *The Gurian Institute* jest jedną z wielu organizacji służącą wsparciu wam jako rodzicom. Na stronie internetowej instytutu znajdziecie recenzje artykułów, dodatkowe strony oraz książki na temat badań mózgu, które wspomogą was podczas waszej wspólnej przy-

gody jaką jest rodzicielstwo. Nasz adres to: www.gurianinstitute. com. Instytut koncentruje się na uświadamianiu rodziców, jak ich synowie i córki uczą się i dorastają w różny od siebie sposób.

W waszej społeczności na pewno znajduje się wiele lokalnych jak i ogólnonarodowych organizacji zapewniających wsparcie i poradę. Macie tysiące opcji, wpisując w wyszukiwarce „rady dla rodziców" pojawia się 1,110,000 wyników! Kogo należy słuchać? Która z opcji jest dobra dla ciebie i dla twojej rodziny? Po rozmowie z pediatrą i innymi ludźmi służącymi wam wsparciem i poradą, okaże się, że w końcu będziecie musieli zaufać sobie jako rodzicom.

Kilka słów do taty
Twój syn cię potrzebuje. Nawet jeśli lwia część obowiązków związanych z wczesną opieką nad dzieckiem spada na mamę, szczególnie jeśli karmi piersią, ty odgrywasz znaczną rolę.

Według *American Academy of Pediatrics*, „Kiedy ojciec odgrywa ewidentną rolę w wychowaniu oraz w życiu jego dzieci, dzieci mają zapewnione lepsze emocjonalne i społeczne wyniki, ich umiejętności kopiowania i adaptacji są silniejsze, potrafią lepiej rozwiązywać problemy, dłużej się uczą, ich związki są trwalsze, a wydajność w pracy jest większa."

Kilka słów do przepracowanej i zmęczonej mamy
Przestań starać się być supermamą. Nie ma idealnych matek. Są, jednakże, mamy „wystarczająco dobre". Spędź trochę czasu rozmawiając z innymi matkami i swoim mężem na temat spraw, które zamierzasz sobie odpuścić. Dom nie musi lśnić czystością, a ty nie musisz się wcisnąć w swoje stare jeansy jeszcze w tym miesiącu. Zapytaj siebie, jakie obowiązki możecie dzielić z mężem. A jeśli on myje ubikację, to może pozwolisz mu to zrobić tak jak on to sobie wyobraża?

Słowo na zakończenie

Nanette jest wykwalifikowanym lekarzem położnikiem oraz żoną znanego i szanowanego lekarza internisty. Podczas gdy oboje odbywali staż w klinice, urodziła im się Tanya, która obecnie ma pięć lat. Will, ich drugie dziecko, urodził się w zeszłym roku.

Pewnego dnia, stojąc w laboratorium, Nanette przyznała się swojej pielęgniarce, że gdyby wykonywała wszystko inne przez siedem dni w tygodniu, dwadzieścia cztery godziny na dobę przez pięć lat, mogłaby poczuć, że opanowała zadanie. Bycie rodzicem pozostawiło jej poczucie ciągłej niekompetencji. Kiedy zaczynało jej się wydawać, że wreszcie zrozumiała potrzeby Tanyi i Willa oraz że była na szczycie gry w supermamę, jedno lub drugie osiągało nowy etap rozwojowy, dostarczając jej nowych problemów i rzucając wyzwanie jej najnowszemu podejściu do bycia rodzicem.

Nanette nie jest jedyna. Nadejdą chwile, kiedy będziesz się czuła tak samo jak ona, kompetentna i gotowa udzielać rad innym rodzicom. Kiedy indziej poczujesz się całkowicie bezradna. Podobnie jak wasz syn, ojcowie i matki przechodzą przez różne fazy. Dajcie czas sobie i waszemu dziecku. Wszyscy jesteście w fazie budowy i możemy was zapewnić, że miłością, humorem i wzajemnym wsparciem będziecie w stanie poradzić sobie z nadchodzącymi wyzwaniami.

Życiowe lekcje
o wychowaniu chłopca
na pierwsze
i następne lata

Mama i syn

Na początku

Musisz sobie uświadomić, że twój syn będzie cię kochał mocniej
niż ktokolwiek na świecie.

Czasami będziesz porażona ogromem twojej miłości do niego.

Nie zapominaj, że jako niemowlę zawsze będzie patrzył
na twoją twarz. I tak już będzie zawsze.

Spędzaj z nim tak wiele czasu ile możesz.
To zarówno dla twojego dobra jak i jego.

Przeczytaj wszystkie poradniki i fachowe artykuły jakie zdołasz,
ale zaufaj swoim instynktom. Są dobre.

Uważaj, kiedy zmieniasz mu pieluszkę.
Mali chłopcy lubią tryskać w powietrze.

Wiedz, że twoim zadaniem w życiu jest nakarmić go,
otoczyć miłością i skierować w odpowiednią stronę.

Bądź gotowa, że obudzi się głodny. Chłopcy jedzą więcej
niż możesz to sobie wyobrazić, nawet jako niemowlęta.

Miej pod ręką mnóstwo chusteczek. On ciągle się ślini.

Im więcej do niego mówisz, tym wcześniej
on zacznie mówić do ciebie.

Nie mów do niego przez cały czas jak do dzidziusia.

Uświadom sobie, że poczynając od pierwszego dnia jego życia
jest nastawiony na bycie niezależnym. Nie zmieniaj tego.
Jeśli czekasz aż zacznie płakać, żebyś go podniosła,
uczysz go płakać.

Będzie potrzebował codziennej drzemki
przez swoje pierwsze pięć lat życia. I ty także.

Zaakceptuj fakt, że chłopcy i dziewczynki różnią się od siebie.

Przygotuj się psychicznie na moment, kiedy dostanie zastrzyk.
Jego krzyki będą mogły obudzić zmarłego.

Zabezpiecz swój dom przed dzieckiem. Czegokolwiek dosięgnie,
będzie chciał włożyć do buzi.

Kiedyś docenisz, że szampon dla dzieci jest jednym
z największych wynalazków ludzkości.

Będziesz chciała go tylko obserwować – jego oczy, ręce, ruchy
– godzinami. To normalne.

Pamiętaj, potrzebuje abyś była przy nim, by mógł słyszeć twój głos
i żebyś na niego patrzyła.

Spokojnie. Rzucanie jedzeniem leży w normie.
A co tam, możesz je odrzucić.

Jazda samochodem go usypia. Pamiętaj o tym,
kiedy o drugiej nad ranem nie będzie chciał przestać płakać.

Zabieraj go na spacery. Opowiadaj mu, co widzi.

Nie musisz być stałym źródłem rozrywki. Pozwól mu samemu się
zabawić. Wszystko jest dla dzieci stymulujące.

Kup mu miękki kocyk. Będzie go trzymał latami.

Pamiętaj, że od chwili kiedy zaczął raczkować,
posmakował wolności.

Nie martw się, że porzuciłaś regularne ćwiczenia fizyczne.
Kiedy zacznie chodzić, będziesz za nim biegać wystarczająco
często, aby to nadrobić.

Pomyśl o oszczędzaniu na jego studia. Teraz.

Na zawsze będziesz pamiętać jego śmiech w tym wieku.

Nie zapominaj, że potrzebuje twojej indywidualnej uwagi.

Ćwicz zachowywanie spokoju. Przyda ci się niezmiernie,
kiedy stanie się nastolatkiem.

Z nieznanych powodów będzie chciał siedzieć w twojej szafie
i bawić się twoimi butami, godzinami.

Jeśli upadnie, nie przejmuj się.
Ważne jest, aby nauczył się wstawać.

Małe dziecko

Zauważ, że jego idolami zawsze będą chłopcy starsi od niego
o pięć lat.

Będzie cię kusić wyprawianie dla niego wyszukanych przyjęć
urodzinowych, nawet kiedy skończy rok, dwa lub trzy lata.
Nie rób tego.

Bądź konsekwentna: z miłością, z zasadami, z dyscypliną.
Ze wszystkim.

Postaraj się, aby zasady były zabawą.

Jego łzy złamią ci serco. Tak samo jego uśmiech.

Pamiętaj, chłopcy lubią współzawodniczyć we wszystkim.
Nie będzie to miało dla ciebie sensu i czasami śmiertelnie cię
wystraszy.

Nie panikuj, jeśli zje jednego czy dwa robaki. Chłopcy po prostu
chcą wiedzieć, jak smakują rzeczy.

Każ mu celować, kiedy korzysta z toalety. Jeśli nie,
to zmoczy wszystko dookoła z *wyjątkiem* ubikacji.

Pamiętaj, mali chłopcy są przerażający. Przechodzi im z wiekiem.

Będzie chciał stale wychodzić na dwór. Zabierz go.

Jeśli będziesz się z niego naśmiewać, nauczy się nieśmiałości.

Nie reaguj przesadnie, kiedy się skaleczy,
a on również będzie spokojny.

Starając się jak możesz, nie ochronisz go przed życiem.

Im wcześniej nauczy się szanować zasady,
tym łatwiejsze będzie dla niego życie. Dla ciebie również.

Kiedy zostawisz go z opiekunką, zacznie dokazywać.
Wyjdź szybko.

Pokaż mu kredki i farby. Jednak miej na niego oko,
w przeciwnym razie udekoruje cały dom.

Załóż bezpieczne zamknięcia na szafkach i szufladach.
Zrób to dla swojego spokoju i jego bezpieczeństwa.

Gdzieś w wieku trzech lat zacznie heroicznie uważać siebie
za twojego obrońcę. To nigdy się nie zmieni.

Jeśli chcesz, aby słuchał ciebie jako nastolatek,
naucz go słuchać teraz.

Koszmary mogą go przerazić. Przytul go, pociesz
i posiedź przy nim aż ponownie zaśnie.

Będzie jęczał tak długo, jak będzie to działało.

Od ciebie nauczy się jak ważne jest mówienie prawdy.
Bądź dobrym przykładem.

Pamiętaj o tych słowach: *To tylko etap.*

Pilnuj, aby pił mleko. Nie pilnuj, aby wyjadł wszystko do końca.

Nie opuszczaj drzemki, bo zapłacicie za to oboje.

Jeśli kupujesz mu coś za każdym razem jak pójdziecie do sklepu,
wkrótce będziesz mu wciąż coś kupowała za każdym razem,
gdy wyjdziecie do sklepu.

Ustal czas na wspólne czytanie i pilnuj tego.

Jak guma balonowa wczepia się we włosy małych chłopców
jest tajemnicą nierozwikłaną do tej pory.

Nie kupuj białych dywanów. Sama prosisz o nieszczęście.

Polub czas kąpieli. Twój syn z pewnością go uwielbia.

Wytłumacz mu, że twoje pocałunki magicznie leczą otarte kolana.
Rozdawaj pocałunki do woli

Naucz go jak zrobić sobie kanapkę z dżemem lub masłem
orzechowym. Przez następne dziesięć lat może to być
jego główne źródło energii.

Nie zapominaj: pochwała jest zaraźliwa. Tak samo jak krytyka.

Rzucajcie piłkę do siebie. Dla twojego dziecka nie ma znaczenia,
że nie potrafisz złapać piłki albo wykonać idealnego rzutu.

Pamiętaj, twoje poparcie buduje pewność siebie.
Zawsze tak będzie.

Dla małego chłopca szczęściem jest wielka łyżka
i miska czekoladowego budyniu.

Naucz go mówić z otwartymi ustami
i zamykać je, kiedy przeżuwa.

Ciągle będzie zafascynowany tym co odkryje na swoim ciele.

Będzie próbował przeciągnąć wąż ogrodowy z piaskownicy do dużego pokoju. Zniechęć go do tego.

Naucz go, by sprawdzał swój rozporek.

Będzie chciał mieć rowerek. Spadnie z niego. Będzie żył.

Twoja portmonetka będzie dla niego zawsze źródłem tajemnic.

Chodź na spacerach w jego tempie. Może spędzić pięć minut obserwując dżdżownicę.

Pokaż mu jak składać ubrania. Ale nie oczekuj cudów.

Naucz go manier.

Pozwól mu, żeby nauczył cię jak przeskakiwać z kamienia na kamień.

Wykazuj zainteresowanie, kiedy przyniesie do domu coś obrzydliwego. Im bardziej będziesz udawała przestraszoną przez robaka, żabę czy świerszcza, tym szczęśliwszy będzie twój syn.

Nie pozwól, aby jego ojciec zapomniał, że jego syn jest wciąż małym chłopcem.

Nie toleruj jego wybuchów złości. Nigdy.

Zawsze będzie chciał chwalić się swoimi skaleczeniami i ranami. Udawaj przerażoną.

Staraj się nie tracić czasu na kłótnie. Podejmij decyzję i rób swoje.

Nie ważne jak będzie protestował, posadź go w foteliku samochodowym. Na tylnym siedzeniu.

Przygotuj się na kupowanie butów. Mali chłopcy testują nowe zakupy ścigając się po sklepie.

W pewnym momencie swojego życia będzie uważał, że siusianie jest najzabawniejszą rzeczą na świecie. Wyrośnie z tego.

Naucz go, by pomagał ci w domu.

Jeśli wróci do domu brudny i ubłocony, nie miej skrupułów przed wsadzeniem go pod prysznic zanim pozwolisz mu zrobić cokolwiek.

Zabierz go do sklepu. Pozwól mu wybrać sok, owoce, płatki. Będzie czerpał radość z obrzydzania ci różnych rzeczy.

Pozwól mu być chłopcem. Nie oczekuj „małego dżentelmena" w wieku pięciu lat.

Naucz go jak nakrywać do stołu. Będzie mógł zadziwić swoje przyszłe dziewczyny.

Naucz się jak dobrze wydawać dźwięki eksplozji. Pomyśli, że jesteś naprawdę fajna.

Możesz pomyśleć, że nie masz czasu na robienie zdjęć i wsadzanie ich do albumów, jednak musisz. Będą znaczyć o wiele więcej niż jakiekolwiek nagranie.

Kiedy wszystko inne zawiedzie, daj mu mleko i biszkopty.

Tata i syn

Mali chłopcy

Ceń swój czas spędzony z synem.

Naucz go dochowywać tajemnic.

Ustal zdecydowanie czas na chodzenie spać.
Mali chłopcy potrzebują snu.

Naucz go, że nigdy nie jest zbyt duży na drzemkę.

Zabieraj go na spacery i pokazuj mu świat owadów.

Czytaj mu na dobranoc. Pokocha to.

Nie pozwól mu spać w waszym łóżku, nawet jeśli jest
przestraszony lub chory. Śpij w jego pokoju na podłodze.

Postaraj się rzucić palenie i picie. Jeśli nigdy nie zobaczy jak jego
tata pije czy pali, nie będzie to dla niego wielką tajemnicą.

Naucz go jak zasadzić roślinkę. Obejmuje to trzy rzeczy,
które chłopcy kochają: piasek, kopanie i węże ogrodowe.

Naucz go jeździć na dwukołowym rowerku.
Oznacza to wolność. Biegnij obok.

Zaakceptuj fakt, że może chcieć bawić się lalkami.
To nie takie straszne.

Zapytaj go co robił dzisiaj. Słuchaj go.

Zabierz go do wesołego miasteczka. Pójdźcie na karuzele, o wsiadaniu na które mama nawet by nie pomyślała. (W pewnym momencie ty również, więc zrób to dopóki masz zdrowe serce.)

Zachęć go do nauki.

Naucz go jak zadzwonić na 112 oraz kiedy i dlaczego.

Kup mu coś na czym mógłby dyndać – przyrząd gimnastyczny lub drążek. Coś.

Pokaż mu jak wyprowadzić uderzenie. Następnie wychowaj go tak, by nigdy nie zaczynał bójek. I naucz go ignorować zaczepki.

Zabieraj go na wycieczki do lasu i pokaż mu jak pokonać strumień. Pozwól mu się zmoczyć i ubrudzić.

Wystawiaj jego prace w swoim biurze. Nawet tę dziwnie wyglądającą popielniczkę.

Zabieraj go ze sobą kiedy wychodzisz z domu. Pamiętaj, twój syn ma potrzebę przebywania z tobą, aby nauczyć się na czym polega bycie mężczyzną.

Nieszczęśliwy chłopiec to najczęściej taki, który jest głodny lub zmęczony. Lub oba naraz.

Wyłącz telewizor, zgaś światła, włącz latarkę i wymyślajcie w nocy opowieści. Nigdy nie będzie miał dosyć.

Zabierz go na obiad po szkole. Porozmawiaj z nim o tym czego się nauczył.

Rozmawiaj z nim o alkoholu i narkotykach wcześnie, zaczynając od piątego roku życia. Jeśli ty tego nie zrobisz, zrobi to ktoś inny.

Jadaj z nim śniadania.

Pokaż mu jak sprzątać jego pokój. Mali chłopcy nie uczą się tego przez osmozę.

Jeśli kupisz mu piżamę z Supermanem, licz się z tym, że będzie zeskakiwał z szafek, krzeseł, oparć łóżek i czasami wyląduje na tobie.

Pokaż mu jak ma zadzwonić do ciebie do pracy. Odbieraj jego telefony. Zawsze.

Naucz go magii.

Naucz go, żeby nie śmiecił.

Przypominaj mu często, aby podnosił deskę. Następnie, żeby opuszczał deskę. Potem, żeby spuszczał wodę.

Naucz go, żeby wymiotował do toalety, nie na twoje łóżko. Wielu chłopców lubi ominąć łazienkę i zdemolować pokój rodziców.

Naucz go, żeby oddawał to, co pożyczył.

Pozwól mu odkryć radości z ciasteczek w czekoladzie.

Zapewnij go, że nie umrze, jeśli poleci mu trochę krwi.

Zabieraj od czasu do czasu twojego syna ze sobą do pracy.

Poświęcaj mu tyle samo uwagi, co pozostałym osobom w biurze.

Powiedz mu, że czasem się mylisz.

Ścigaj się z nim. Nigdy nie zapomni dnia, w którym cię pokona.

Przekaż mu poczucie odpowiedzialności.

Nie pozwól, aby telewizja przejęła rolę opiekuna.

Dopilnuj, aby twój syn czuł się w domu bezpiecznie.

Kup mu zwierzątko tylko wtedy, gdy będzie gotowy się nim opiekować. To go nauczy dbać o coś więcej niż jedynie o siebie.

Chwal go często.

Naucz go komplementować innych.

Nie toleruj jego wybuchów złości. Nie teraz. Nie kiedy będzie piętnastolatkiem. Świat nie będzie taki miły.

Krzycz na niego, a wychowasz krzykacza.

Naucz go, by nie krzywdził innych.

Nie pozwalaj mu, aby sfrustrowany rezygnował.
Nigdy się niczego nie nauczy.

Jego ulubioną zabawą przez długi, długi czas będzie zabawa
z tobą. Bądź dostępny. Nawet jeśli jesteś zmęczony.
Nawet kiedy reprezentacja wychodzi z grupy. Bądź dostępny.

Zachęć go do chodzenia na bosaka.

Naucz go zamykać rower.

Naucz go, żeby nie bał się zwierząt, ale je szanował.

Zapytaj go, kim są jego bohaterowie.
Będzie naśladował tych ludzi.

Rozmawiaj z nim o tym, kim chce być gdy dorośnie.
Nie panikuj nad jego odpowiedzią.

Naucz go jak cudownie jest patrzeć na księżyc.

Naucz go, że każde życie jest cenne.

Pomóż mu zrozumieć, że obietnicy należy dotrzymać.
I pamiętaj, on uczy się od ciebie.

Naucz go, że kiedy podlewa trawę, ona rośnie.

Pomóż mu pogrzebać jego zwierzątko.

Pamiętaj, mali chłopcy kochają swoich dziadków.
Nikt nigdy nie wie, dlaczego.

Nie strasząc go rozmawiaj z nim o złych ludziach
i co powinien zrobić, kiedy ich spotka.

Nalegaj, aby dużo bawił się na dworze. Jest to znacznie
zdrowsze niż oglądanie telewizji czy gra na komputerze.

Pokaż mu jak robić stójkę na rowerze.

Nigdy nie zapominaj, że nie możesz ściskać
czy całować małego chłopca za dużo.

Pamiętaj, chłopcy są jak małe lwiątka: okazują uczucia poprzez obejmowanie, zapasy i tarzanie się po podłodze.

Nie walcz za niego.

Nigdy nie mów mu, że chłopaki nie płaczą.
Zapytaj dlaczego płacze.

Naucz go sprzątać po sobie.

Pozwól mu wierzyć w Świętego Mikołaja. W Króliczka Wielkanocnego. W Zębową Wróżkę. Podtrzymuj w nim zmysł cudowności. Nigdy nie przestanie jej szukać.

Wyjdź z pracy wcześniej, aby się z nim pobawić.

Naucz go dzielenia się z innymi.

Udziel mu lekcji gry na pianinie.

Uświadom sobie, że istnieją rzeczy, których nie możesz go nauczyć.

Pozwól mu patrzeć jak się golisz. To tu właśnie zaczyna dodawać dwa do dwóch.

Naucz go szanować władzę, ale nie podziwiać jej.

Zachęć go do zaprzyjaźniania się z innymi chłopcami. Jeśli będziesz spędzać czas z nim i jego kolegami, kiedy jest mały, nie pomyśli dziwnie o tym, że jesteś w pobliżu jego i kolegów, kiedy będzie starszy.

Naucz go radości masła orzechowego i miodu.

Pokaż mu jak wiązać krawat i czyścić buty.

Pamiętaj, wartości, jakie mu wpoisz teraz,
będzie prezentował jako nastolatek.

Sprawdzaj wieczorem jego prace domowe.
Nie zostawiaj wszystkiego jego mamie. Zobaczy jak ważna
dla ciebie jest jego nauka.

Nawet jeśli możesz, nie kupuj mu wszystkiego.

Pamiętaj, używanie przemocy jest gwarantowanym sposobem
na wychowanie brutala.

Naucz go jak znaleźć drogę do domu.

Nie krytykuj jego pomyłek. Krytykuj brak wysiłku.

Naucz go pluć. Będzie ćwiczył cały dzień.

Zabierz go na pączki w sobotę rano. Pozwól jego mamie pospać.

Naucz go jak używać komputera. Jak pisać na klawiaturze.
Jak wysyłać mejle.

Jedzcie kurczaka z jednego talerza.
Im bardziej się ubrudzicie, tym lepiej.

Naucz go, by nigdy nie bał się wypróbowywać nowości.

Indeks